C000273067

Le Corbusier

Editorial Gustavo Gili, S. A.

08029 Barcelona   Rosselló, 87-89. Tel. 322 81 61
México, Naucalpan 53050   Valle de Bravo, 21. Tel. 560 60 11
Santa Fe de Bogotá   Calle 58, N.º 19-12. Tel. 217 69 39

le corbusier

Willy Boesiger

GG®

Traducción/Translation
Lucy Nussbaum/Graham Thomson

Diseño cubierta/Cover design
Quim Nolla

3.ª edición español/inglés: 1994
3rd spanish/english edition: 1994

Ninguna parte de esta publicación, incluido el diseño de la cubierta, puede
reproducirse, almacenarse o transferirse de ninguna forma, ni por ningún medio,
sea éste eléctrico, químico, mecánico, óptico, de grabación o de fotocopia, sin la
previa autorización escrita por parte de la Editorial.

All rights reserved. No part of this work covered by the copyright hereon may be
reproduced or used in any form or by any means —graphic, electronic, or
mechanical, including photocopying, recording, taping, or information storage and
retrieval systems— without written permission of the publisher.

© 1972. Verlag für Architektur Artemis, Zürich
    and for this edition Editorial Gustavo Gili, S.A., Barcelona

ISBN: 84-252-1477-7
Depósito legal: B. 34.911-1993
Printed in Spain by Ingoprint, S.A. - Barcelona

Indice

Las obras completas de Le Corbusier publicadas regularmente, primero por la Editorial Girsberger y luego por la Editorial de Arquitectura Artemis, constituyen la base de este libro de bolsillo, resumidas en 260 páginas además de una biografía y un catálogo de obras.

en la parte 1.ª: croquis, proyectos y realizaciones de 1905-1939 (páginas 9-79)
en la 2.ª parte: proyectos y realizaciones de 1940-1964 (páginas 81-167)
en la 3.ª parte: «El fin de un mundo... Liberación». Urbanismo, «Unités d'habitation», Chandigarh, Museos (páginas 168-243)

Ya en 1960, cuando se compuso el volumen resumido desde 1910-1960, Le Corbusier había expresado el deseo de que sus obras fueran publicadas en una edición barata. «Hay que pensar en los jóvenes que no tienen acceso a los libros caros y yo, precisamente, me dirijo a los jóvenes...». Sus propias publicaciones aparecieron siempre en ediciones de este tipo.

El libro de bolsillo, mediante croquis, planos e imágenes muestra la continuidad que partiendo de la idea se desarrolla hasta su realización.

W. B.

The complete projects of Le Corbusier, published at regular intervals, first by the publishing house of Girsberger and subsequently by Artemis Architectural Press, constitute the basis of this paperback, where they have been summarised in 260 pages, with a biographical note and a list of Le Corbusier's work.

In part 1: sketches, projects and built work from 1905-1939 (pp. 9-79)
In part 2: projects and built work from 1940-1964 (pp. 81-167)
In part 3: «The end of a world ... Liberation». Urban design, Unités d'habitation, Chandigarh, museums (pp. 168-243)

As early as 1960, during preparation of the volume covering his work from 1910 to 1960, Le Corbusier expressed the desire that his work be published in a cheap edition. «We have to think of the young people, who don't have access to expensive books, and for me, in particular, they are the ones I address myself to...». His own published work always appeared in low-cost editions.

This paperback sets out, by means of sketches, plans and photographs, the continuity which runs from the initial idea, through its subsequent development, to the completed construction.

W. B.

1

c'est un peu extravagant d'avoir tant travaillé!

Travailler n'est pas une punition, travailler c'est respirer!

Respirer est une fonction extraordinairement régulière : ni plus fort, ni plus mou, mais constamment.

Il y a de la constance dans l'adverbe « constamment ». La constance est une définition de la vie. La constance est naturelle, productive, — notion qui implique le temps et la durée.

Il faut être modeste pour être constant. Constance implique persévérance. C'est un levier de production. Mais c'est un témoignage de courage, — le courage étant une force intérieure qui qualifie la nature de l'existence.

Il n'y a ni signes glorieux dans le ciel, ni ailes déployées de victoire, ni intervention spectaculaire. Ma mère, morte cette année-ci à l'âge de cent ans disait : « Ce que tu fais, fais-le ! » Elle ne savait pas que c'était un propos fondamental de notre pays d'origine : le Sud de la France, au XII et XIII siècles, avant le moyen-âge. Et qu'aussi c'est l'admonition de « la Dame-Royne - de Quinte-Essance » parlant au CINQUIESME LIVRE de Rabelais : "Seulement vous ramente FAIRE CE QUE FAICTES!

5
sept
1960

Le Corbusier

1905-1916 Primeras casas

«A los 17 años tuve la suerte de encontrar a un hombre desprovisto de prejuicios que me confió la construcción de su casa. De los 18 a los 19 construí muy cuidadosamente esta casa, con multitud de detalles... ¡conmovedores! Esta casa es probablemente horrible, pero está exenta de cualquier rutina arquitectónica.»

1 Casa Fallet, La Chaux-de-Fonds, 1905
2 Casa Stotzer, La Chaux-de-Fonds, 1908
3 Casa Jacquemet, La Chaux-de-Fonds, 1908
4 Casa Jeanneret, La Chaux-de-Fonds, 1912
5 Casa Favre, Le Locle, 1912
6 Cine Scala, La Chaux-de-Fonds, 1916
7 Casa Schwob, La Chaux-de-Fonds, dos fachadas, 1916

1905-1916 First houses

«When I was 17 I had the good fortune to meet an open-minded man who entrusted me with the construction of his house. From the age of 18 to 19 I built this house, with the greatest care, and a multitude of ... deeply moving ... details! The house is in all likelihood horrible, but it is free of any kind of architectural routine».

1 Fallet house, La Chaux-de-Fonds, 1905
2 Stotzer house, La Chaux-de-Fonds, 1908
3 Jacquemet house, La Chaux-de-Fonds, 1908
4 Jeanneret house, La Chaux-de-Fonds, 1912
5 Favre house, Le Locle, 1912
6 Scala cinema, La Chaux-de-Fonds, 1916
7 Schwob house, La Chaux-de-Fonds, 1916 - two facades

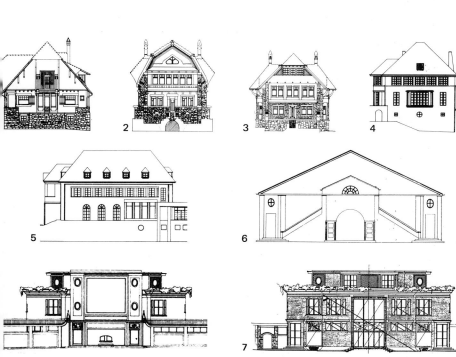

1914 Las Casas Domino, proyecto

Se ideó un sistema en el que la estructura es completamente independiente de la distribución: la estructura soporta únicamente los forjados y la escalera. Está fabricada con elementos estándar, combinables entre sí, lo que permite una gran variedad en la forma de agrupar las casas. El hormigón armado está realizado sin encofrados.

1 Estructura estándar para construcción en serie
2 Grupo de casas en serie sobre estructura estándar

1914 The Domino houses, project

Here, Le Corbusier has thought out a system in which structure is completely independent of distribution: the structure does no more than support the roof slabs and the stairs. The construction uses easily interchangeable standard elements, which allow great variety in the grouping of the houses. The reinforced concrete work was done without using shuttering.

1 Standard structure for construction en masse
2 Group of houses using the standard structure

1916 Villa junto al mar para Paul Poiret, proyecto

Construida con elementos en serie.

1916 Private house by the sea for Paul Poiret, project

Constructed using industrialised techniques and precast elements.

3 Plano de la planta baja
4 Villa junto al mar
5 Sala de estar de la villa

3 Plan of the ground floor
4 The villa by the sea
5 The living room of the villa

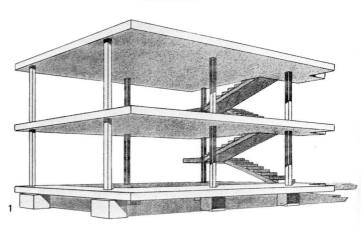

1919 Casa «Monol», proyecto
Sistema de construcción: Se colocan dos paneles
de un metro de alto, uno frente al otro, y se rellena
el espacio vacío con cualquier material del lugar;
se juntan otros paneles parecidos formando las
paredes. La cubierta de los tejados es de chapa
ondulada.
1 Casas «Monol» de un solo nivel con plan de
  urbanización
2 Viviendas a dos niveles

1920 Casas «Citrohan», primer esbozo, proyecto
Primera casa construida en serie; los dos pisos se
comunican mediante un espacio vacío.
3 Vista de la casa
4 Planta baja
5 Entresuelo
6 Terraza

1919 «Monol» house, project
Construction system: a pair of metre-high panels are
positioned opposite one another and the space
between them is filled with some readily-available
material; other panels are added to form the walls.
The curvins roof is of corrugated iron.
1 Single-storey «Monol» houses with a plan of the
  urban development
2 Two-storey houses

1920 «Citrohan» houses, first sketch design
The first houses to be built using industrialised
techniques and pre-cast elements; the lower and
mezzanine floors are connected by a spiral
staircase.
3 View of the house
4 Ground floor plan
5 Mezzanine
6 Terrace

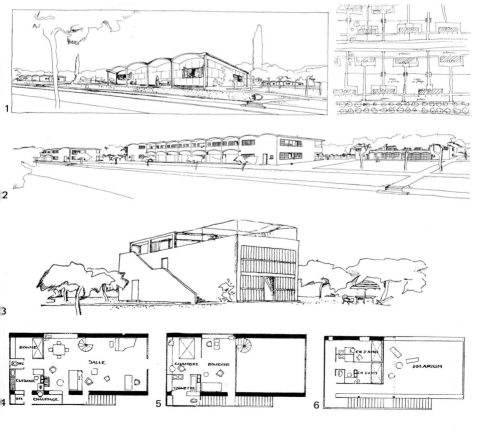

1922 Casas «Citrohan», 2.º esbozo, proyecto

Esta es la continuación del primer estudio de 1920. En el Salón de Otoño de 1922 se expuso una gran maqueta de yeso de esta casa, estudiada más a fondo y que comportaba ante todo la estandarización sistemática de los elementos de la construcción: estructura, ventanas, escaleras, etc. Por primera vez aparecen los pilotis.

1 Maqueta presentada en el Salón de Otoño, 1922
2 Interior
3 Planos del sótano sobreelevado, primer piso, entresuelo y terraza
4 Una variación del chalet en serie

1922 «Citrohan» houses, second sketch design

This is the development of the first study carried out in 1920. At the Salon d'Automne of 1922, Le Corbusier showed a large plaster model of the house, studied in greater depth, and incorporating all the systematic standardisation of the construction elements: structure, windows, stairs, etc. The pilotis appear here for the first time.

1 Model shown at the Salon d'Automne of 1922
2 Interior
3 Plans of the raised basement, first floor, mezzanine and terrace
4 A variant of the house constructed using industrialised techniques

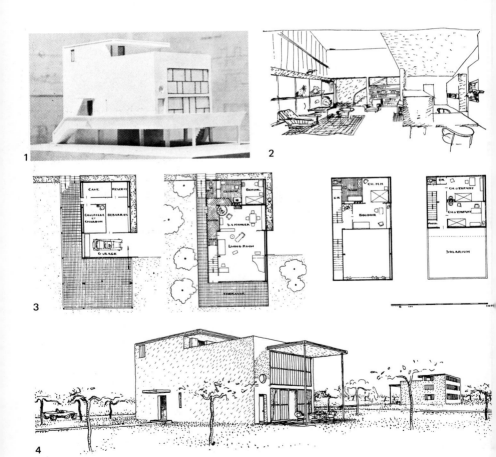

1922 Villa Besnos, en Vaucresson

Consecuencia práctica del stand de urbanismo del Salón de Otoño de 1922, momento en el que se presentan todas las dificultades a la vez. En el «Esprit Nouveau» se habían propuesto teorías y puntos de vista suficientemente claros para desbrozar el terreno. En esta reducida casa, por el contrario, se trataba de crear toda una arquitectura: procedimientos de construcción, soluciones constructivas de cubiertas, marcos de las ventanas, cornisas, etc. Se descubría la «planta libre» (distribución del cuarto de baño en medio del piso). Se definía la forma de la ventana, su módulo (altura exactamente proporcionada a la escala humana, etc.).

1 Entrada
2 Plano de la planta baja y del primer piso
3 Fachada a la calle (dibujo)

1922 Besnos house in Vaucresson

The tangible outcome of the urban design stand at the 1922 Salon d'Automne, this was the moment when all the problems became apparent at once. While the «L'Esprit Nouveau» had put forward theories and points of view direct enough to clear the ground, in this small house, on the other hand, Le Corbusier was engaged in creating an entire architecture: construction processes, solutions for roof systems, windowframes, cornices, etc. Here he discovers the open floor plan, locating the bathroom in the middle of the floor, defines the form of the window, with its height scaled exactly to human proportions, and so on.

1 Entrance
2 Ground floor and first floor plans
3 Sketch of the street facade

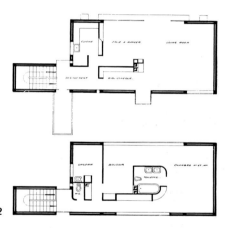

2

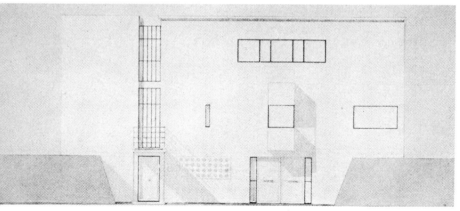

1922 Inmuebles-villa, proyecto
1925 Pabellón «Esprit-Nouveau» en la
exposición «Art Décoratif», París

Del recuerdo, evocado en una sobremesa, de una
cartuja de Italia, nació la idea de los inmuebles-
villa y los primeros esbozos se hicieron en el dorso
de una carta de restaurante.

La clave del urbanismo está en la diferencia entre
un hombre violentado por la desorganización del
fenómeno urbano o un hombre colmado de bienestar por la coherencia con que se ha respondido a
sus necesidades en el terreno urbano. Los «inmuebles-villa» proponen una fórmula nueva de edificio
para una gran ciudad. Cada apartamento es una
pequeña casa con jardín, situada a cualquier altura
respecto al nivel del suelo. La densidad de los
barrios residenciales sigue siendo la misma que
hoy, pero esas casas llegan más alto y gozan de
perspectivas considerablemente ampliadas.

1 Edificio compuesto por 120 villas superpuestas
2 Planta de un piso del inmueble-villa

1922 Immeubles-Villas, project
1925 «L'Esprit Nouveau» pavilion for the «Art
Décoratif» exhibition, Paris

From the memory, recalled during an after-dinner
conversation, of a Carthusian monastery he had
seen in Italy, came the idea for the Immeubles-
Villas, and the very first sketches are drawn on the
back of the restaurant menu.

The key to urban design lies in the difference
between human beings abused by the
disorganisation of the urban environment and
human beings whose well-being is promoted by a
coherent response to their needs in terms of the
urban situation. The «Immeubles-Villas» propose a
new form of building for the city. Each apartment
is a little house, with its own garden, which can be
at any height in relation to ground level. The density
of the residential neighbourhoods would continue
as before, but these houses would rise up higher,
enjoying considerably better views of the city.

1 Apartment building composed of 120
  superimposed individual houses
2 Plan of one floor of the Immeubles-Villas

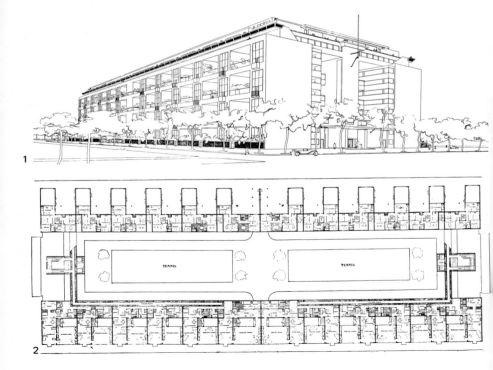

1

2

Pabellón «Esprit-Nouveau».

«L'Esprit-Nouveau» pavilion

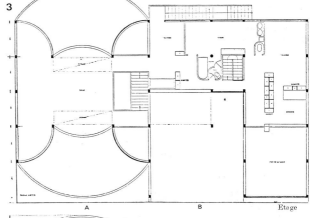

1 Jardín colgante
2 Jardín colgante del
   pabellón
3 Planta baja y piso del
   pabellón
   A. A la izquierda, los
      dioramas
   B. A la derecha, un
      piso de un
      inmueble-villa

1 Roof garden
2 The pavilion's roof
   garden
3 Ground floor and first
   floor plans of the
   pavilion
   A. On the left, the
      dioramas
   B. On the right, an
      «Immeubles-Villas»
      apartment

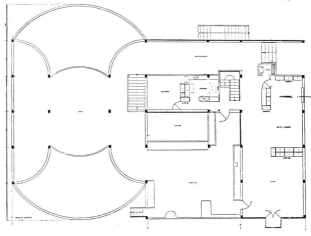

1

Pabellón «Esprit-
Nouveau»

«L'Esprit-Nouveau»
pavilion

1 Fragmento de fachada
2 Sala con altillo, en el primer piso, el «boudoir»
3 Detalle del pabellón
4 Jardín colgante del pabellón
5 El pabellón de la exposición «Art Décoratif», en París (1925)

1 Partial view of the facade
2 Living room with mezzanine and bedroom on the upper floor
3 Detail of the pavilion
4 The pavilion's roof garden
5 The pavilion for the «Art Décoratif» exhibition in Paris (1925)

2

5

3

4

1922 Plan de una ciudad de tres millones de habitantes, proyecto

Principios fundamentales: descongestión del centro de las ciudades, aumento de la densidad, aumento de los medios de transporte y de las zonas verdes. En el centro, la estación con una pista de aterrizaje para aviones-taxi. Los rascacielos se destinan a los negocios. A la izquierda, están los grandes edificios públicos: museos, ayuntamiento, etc. Más lejos, a la izquierda, un jardín inglés. 24 rascacielos que pueden alojar de 10.000 a 50.000 empleados cada uno. Viviendas, parcelaciones «dentadas» o cerradas: 600.000 habitantes. Ciudades-jardín: 2.500.000 habitantes. Gracias a esta gran densidad de población se reducan las distancias y se asegura la rapidez de las comunicaciones.

1922 Plan for a city of 3 million inhabitants, project

Fundamental principles: less congestion of the city centres, increased density, improved transport and more landscaped spaces. In the middle, the station, with a runway for air taxis. The skyscrapers are office buildings. To the left, the great public buildings: museums, city council, etc. Further off to the left, an English-style park. 24 skyscrapers accomodating between 10,000 and 50,000 workers each. Housing, with the plots set at angles or enclosed: 600,000 inhabitants. Garden-cities: 2,500,000 inhabitants. Thanks to this high population density, distances are reduced and speed of communications is increased

1922

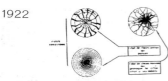

UNE VILLE CONTEMPORAINE

dessin qui montre le centre

1 Página de un boletín, 1922
2 Plan de una ciudad de tres millones de habitantes
3 Vista de la plaza de la estación
4 Diorama de la ciudad

1 A page from a 1922 booklet
2 Plan of a city of three million inhabitants
3 View of the station square
4 Panorama of the city

J'ai dressé par le moyen de l'analyse technique et de la synthèse architecturale, le plan d'une ville contemporaine de trois millions d'habitants. Ce travail fut exposé en Novembre 1922 au Salon d'Automne à Paris. Une stupeur l'accueillit ; la surprise conduisit à la colère ou à l'enthousiasme. C'était cruement fait. Il manquait de commentaires et les plans ne se lisent pas par chacun. J'aurais dû être présent pour répondre aux questions essentielles qui prenaient leur raison dans le fond même de l'être. De telles questions offrent un intérêt capital, elles ne sauraient demeurer sans réponse. Écrivant cette étude destinée à la présentation de principes neufs d'urbanisme, je me suis mis résolument à répondre *tout d'abord* à ces questions essentielles. J'ai usé de deux ordres d'arguments : d'abord de ceux essentiellement humains, standards de l'esprit, standards du coeur, physiologie des sensations (de nos sensations, à nous, hommes) ; puis de ceux de l'histoire et de la statistique. Je touchais aux bases humaines, je possédais le milieu où se déroulent nos actes.

Je pense avoir ainsi conduit mon lecteur par des étapes où il s'est approvisionné de quelques certitudes. Je puis alors en déroulant les plans que je vais présenter, avoir la quiétude d'admettre que son étonnement ne sera plus de la stupéfaction, que ses craintes ne seront plus du désarroi

1

4

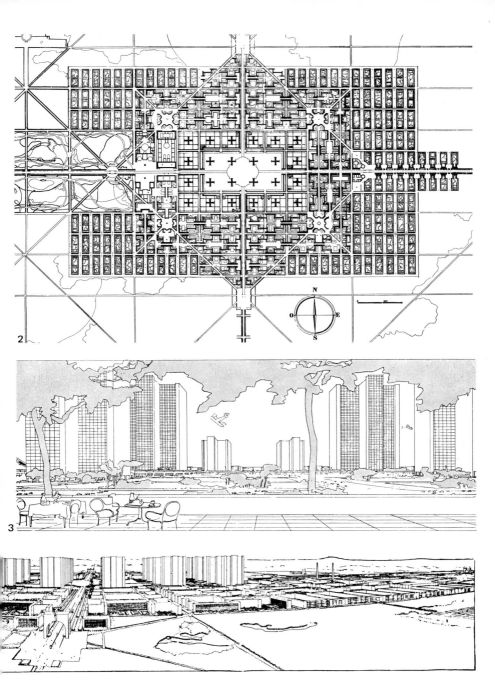

2

3

Casas para artistas, proyectos

1 Escuela de Arte en La Chaux-de-Fonds (1910). Cada taller accede a un jardincillo cerrado donde se podían realizar trabajos al aire libre.
2 Casa de un artista (1922): estructura de hormigón armado y paredes de doble tabique en hormigón proyectado de 4 cm de espesor cada una.
3 Taller de un pintor en la casa para artistas, esbozo.

Houses for artists, projects

1 Art school in La Chaux-de-Fonds (1910). Each studio gives onto an enclosed garden where students can work in the open air.
2 House for an artist (1922): structure of reinforced concrete and 4 cm concrete cavity walls
3 Sketch of the studio in an artist's house

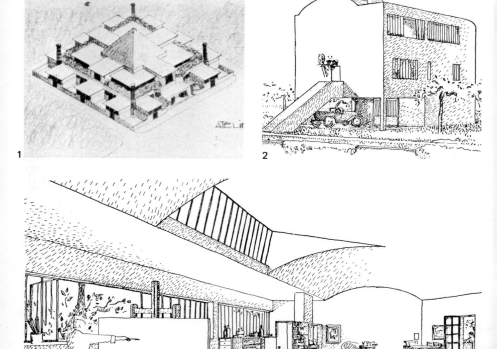

1922 Casa del pintor Ozenfant, en París (83, Avenue Reille)

Fachada libre. Estandarización del elemento ventana a escala humana. Unidad y sus combinaciones.

1 Fachada a la calle
2 Fachada al jardín
3 Primer piso
4 Taller en el segundo piso
5 Taller de pintor

1922 House for the painter Ozenfant in Paris (83, Avenue Reille)

Free facade. The window element is standardised to the human scale. The unit and its combinations.

1 Street facade
2 Garden facade
3 First floor plan
4 Second floor studio
5 View of the painter's studio

1926 Casa para artistas (Ternisien) en Boulogne-Paris

Problema excepcional, desafío, juego mental: utilizar un terreno con una forma particularmente difícil, proteger un hermoso árbol.

1 Vista axonométrica
2 Planta baja y piso
3 Entrada

1926 House for artists (Ternisien) in Boulogne-Paris

An exceptional problem, a challenge, to exercise the mind: to make use of a plot with a particularly difficult form and conserve a lovely tree.

1 Axonometric sketch
2 Ground floor and first floor plans
3 View of the entrance

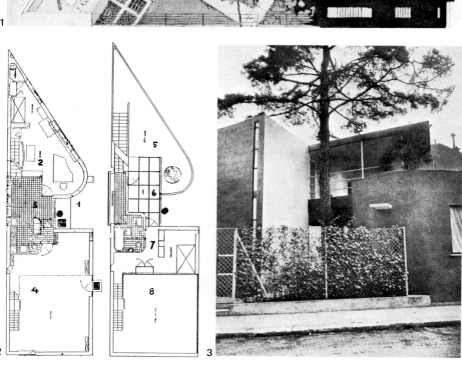

24

1924 Casa de fin de semana en Rambouillet, proyecto

La maqueta de yeso estuvo expuesta en el Salón de Otoño en 1925. Esta exposición permitió plantear ante la opinión pública el problema de la estética arquitectónica del hormigón armado.

1 Esbozo de la fachada

1922 Villa en Auteil, proyecto

Primer proyecto de la casa doble La Roche y Albert Jeanneret en la plaza del Docteur Blanche en Auteil.

2 Fachada a la calle
3 Entrada
4 Planta baja
5 1.er piso
6 2.o piso
7 Terraza

1924 Weekend house in Rambouillet, project

The plaster model of the house was shown at the Salon d'Automne in 1925. The exhibition allowed the question of the architectonic aesthetics of reinforced concrete to be publicly raised.

1 Sketch of the facade

1922 Private house in Auteil, project

The first version of the scheme for the double house for the La Roches and Albert Jeanneret in the Docteur Blanche square in Auteil.

2 Street facade
3 Entrance hall
4 Ground floor plan
5 First floor plan
6 Second floor plan
7 Terrace

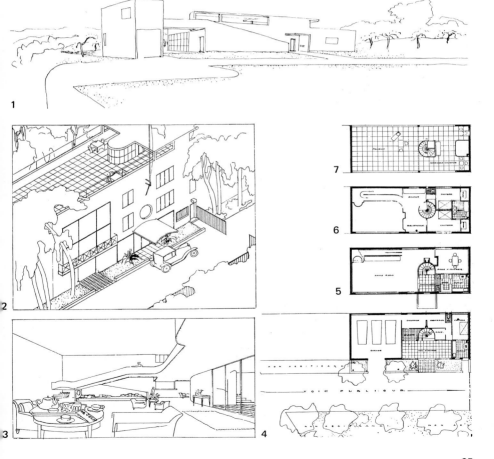

1

2

3

4

5

6

7

1925 Villa en Corseaux-Vevey

Le Corbusier construyó esta casita para sus padres. Se trataba de proteger una casa para dos personas solas, sin servicio. Se procedió de manera contraria a la acostumbrada. Se fijó un plan de la casa riguroso y funcional que respondía exactamente al programa, como una verdadera máquina para vivir. Después, proyecto en mano, se buscó el terreno apropiado.

1 Planta
2 Diversas vistas
3 Retrato de su madre, con ocasión de su 91 aniversario
4 Sala de estar

1924 Chalet in Corseaux-Vevey

Le Corbusier built this little house for his parents; the approach to the construction of the chalet for just two people, without servants, is highly unusual: first a rigorous functional plan was worked out, corresponding exactly to the programme, like a machine for living in, and only then, project in hand, did he set out to find a suitable site.

1 Floor plan
2 Various views of the house
3 Portrait of his mother, on her 91st birthday
4 The living area

à 91 ans, Marie charlotte
amélie
Jeanneret-Perret
règne sur le soleil, la lune,
les monts, le lac et le
foyer, entourée de l'admiration
affectueuse de ses enfants 10 septembre 1957

3

4

1925 Ciudad Frugès en Pessac (Burdeos, Francia)

M. Frugès, el altruista industrial de Burdeos había dicho a Le Corbusier y a Pierre Jeanneret: «Les autorizo a realizar en la práctica sus teorías, hasta sus consecuencias más extremas. Pessac debe ser un laboratorio. En una palabra: les pido que se planteen el problema de planificación de la vivienda, que encuentren la estandarización adecuada, usando muros, suelos, techo, de acuerdo con la más rigurosa solidez y eficacia, prestándose a una verdadera taylorización mediante el empleo de máquinas que les autorizo a adquirir.» El pueblo de Pessac fue construido en menos de un año por una empresa parisiense que reemplazó los insuficientes equipos locales.

Pessac fue concebido a partir del hormigón armado. Objetivo: la baratura. Medios: hormigón armado. Método: estandarización, industrialización, taylorización. Estructura: una sola viga de hormigón armado de 5 m (17') para toda la parcelación.

1925 Frugès garden-city in Pessac (Bordeaux, France)

M. Frugès, a philanthropic Bordeaux industrialist, told Le Corbusier and Pierre Jeanneret: «I give you my authorisation to put your theories into practice, right through to the most extreme consequences. Pessac should be treated as a laboratory. In other words, I want you to tackle the problem of designing housing; I want you to find the most appropriate standards, fashioning walls, floors, roof, in keeping with the most rigorous criteria of solidity and efficiency, really prefabricating these elements through the use of the machinery which I authorise you to purchase.» The Pessac housing estate was constructed in less than a year by a firm of Paris contractors which took over from the inadequate local constructors.

Pessac was conceived in terms of reinforced concrete. Objective: reduced cost. Material: reinforced concrete. Methods: standardisation, industrialised processes, prefabrication. Structure: a single 5 m (17') reinforced concrete beam used for the entire development.

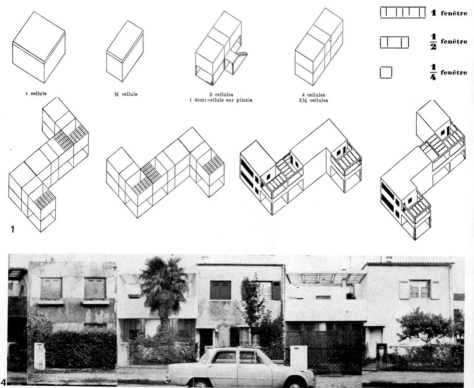

1 fenêtre	
$\frac{1}{2}$ fenêtre	
$\frac{1}{4}$ fenêtre	

1 cellule   ½ cellule   2 cellules   4 cellules
                              1 demi-cellule sur pilotis   2½ cellules

1

4

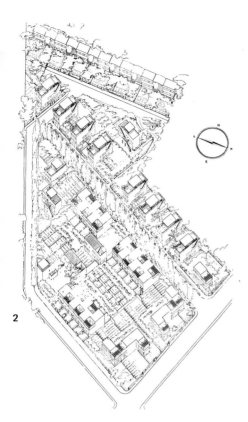

1 El plan estandarizado condujo a Le Corbusier a fijar el elemento básico de Pessac. La construcción racional por medio del cubo no destruye la iniciativa de nadie.
2 Plano de la ciudad
3 «Las casitas», foto, 1927
4 Pessac hoy: «...la vida siempre tiene razón, el arquitecto es quien se equivoca.» (L-C)

1 The standardised plan led Le Corbusier to determine the basic element in Pessac. Rational construction, based on the cube, was not detrimental to individual initiative
2 Plan of the town
3 «The little houses», photo, 1927
4 Pessac today: «...life is always right, and the architect makes mistakes...» (Le Corbusier)

1929 Casas Loucheur, proyecto

La casa sale de la fábrica en un vagón, con todos sus elementos, incluso con el equipamiento interior, acompañada de su equipo de montadores. La casa se monta en pocos días en el solar mismo. Sin embargo, la experiencia de Pessac llevó a utilizar una pequeña estratagema: se construyó previamente un muro de apoyo de la casa o una pared medianera entre dos casas realizada con sillares, ladrillos o mampostería, según los materiales del lugar, por el albañil local.

1 Planta
2 Grupo de casas Loucheur

1929 Loucheur houses, project

The house leaves the factory on the back of a truck, complete with all its elements, including the interior fittings, and accompanied by the assembly team. The house is put up in a few days on the chosen site. Nevertheless, the experience of Pessac led to the introduction of a little stratagem: a supporting wall for the house, or party wall between two houses, was previously constructed of stone blocks, brickwork or masonry, as available, by the local builders.

1 Floor plan
2 A group of Loucheur houses

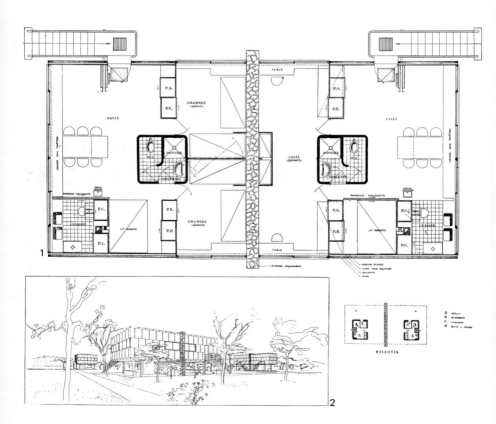

1927 Dos casas en Stuttgart-Weissenhof

Dos tipos de casa totalmente diferentes. La primera es el resultado de estudios realizados siete años antes con las llamadas tipo «Citrohan». El segundo tipo sostiene las mismas tesis, pero de distinta manera. La gran sala se obtiene por la desaparición de tabiques móviles que no se utilizan más que de noche y que convierten la casa en un «coche-cama».

1 Planta baja
2 Primer piso
3 Segundo piso
4 Terrado
5 Lado sur
6 Piso-habitación
7 Terraza-jardín

1927 Two houses in Stuttgart-Weissenhof

Two completely different types of house. The first is the result of studies carried out seven years earlier with the so-called «Citrohan» type. The second employs the same thesis, but in a different way. The large living room is created by removing the mobile partitions, which are only used at night to convert the house into something reminiscent of a sleeping-car.

1 Ground floor plan
2 First floor plan
3 Second floor plan
4 Terrace
5 View from the south
6 Bedroom-floor plan
7 Roof garden

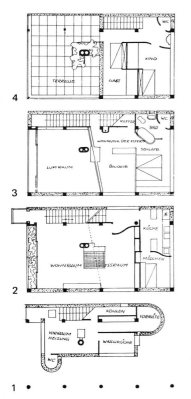

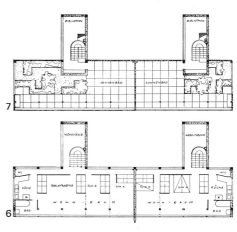

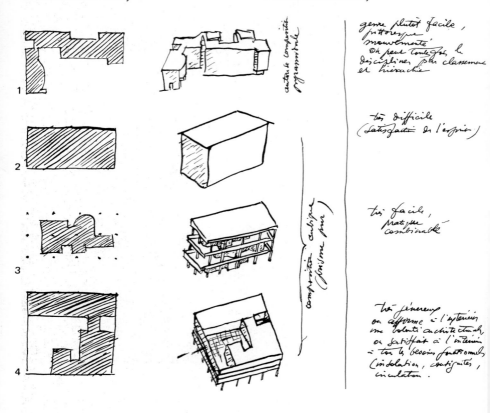

Trazos reguladores

Los trazos reguladores son un medio geométrico o aritmético que permite dar una gran precisión a las proporciones de una composición plástica (arquitectura, pintura, escultura). Nos encontramos ante una fachada, creada según las necesidades de la planta. En la tentativa de organizar la disposición de llenos y vacíos sólo rige el sentimiento.

Principles of proportion

The principles of proportion are a geometrical or arithmetical means of achieving great precision in the proportions of a composition in the plastic arts (architecture, painting, sculpture). We are confronted with a facade, created according to the requirements of the plan. The attempt at organising the solid and void spaces is governed by sentiment alone.

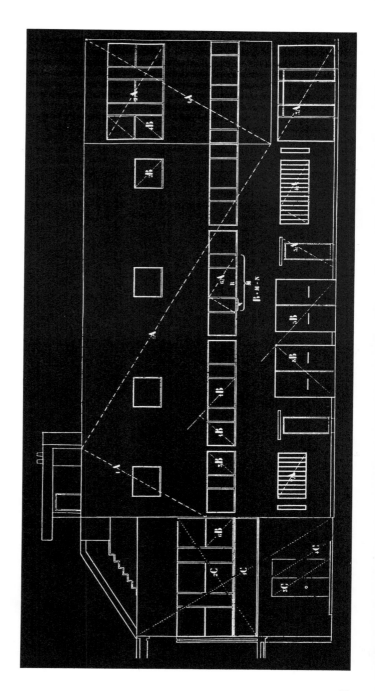

Los trazos
reguladores de la
fachada de la casa
La Roche/Jeanneret
en Auteil (París).
(Ver pp. 34-37)

The principles of
proportion outlined
on the facade of
the La Roche/
Jeanneret house in
Auteil (Paris). (see
pp. 34-37)

**1923 Casa La Roche/Jeanneret en París
(8-10, plaza del Doctor Blanche)**
La planta parece tortuosa, porque servidumbres
brutales lo exigieron y limitaron el uso del terreno.
Además, la casa está mal orientada respecto al
sol, y, como el terreno da al norte, hubo que buscar
la luz solar de otro modo. A pesar de estas imposi-
ciones debidas a condicionamientos contradictorios,
prevalece la idea de que la casa es como un palacio.
1 Primer esbozo
2 Casa La Roche/Jeanneret
3 Casa La Roche

**1923 La Roche/Jeanneret house in Paris
(8-10, Sq. du Docteur Blanche)**
The plan has a tortuous appearance thanks to the
tough restrictions imposed by the services and the
limitations on the use of the site. Moreover, the
house is poorly oriented in relation to the sun, and
as the plot is north-facing, had to find some other
way of attracting sunlight. In spite of these
difficulties created by a set of conflicting conditions,
what prevails is a sense of a quite palatial house.
1 First sketch
2 La Roche/Jeanneret house
3 La Roche house

1

2   3

Extracto del cuaderno «Fondation Le Corbusier» de octubre de 1970

Durante los últimos años de su vida, Le Corbusier vivió preocupado por el futuro de su mensaje, por lo cual decidió poner las bases para una Fundación que llevara su nombre; bajo su iniciativa se creó una «Asociación para la Fundación Le Corbusier». Antes de su muerte, Le Corbusier legó sus bienes a la Fundación y Raoul La Roche, amigo personal de Le Corbusier, había hecho generosa donación de su casa de la plaza del Docteur Blanche, construida en 1923, por el propio Le Corbusier. La Fundación Le Corbusier adquirió la casa Albert Jeanneret, contigua a la casa La Roche.

Extract from the records of the «Fondation Le Corbusier» for October 1970

During the last years of his life, Le Corbusier was deeply concerned about the future of his message, to such an extent that he decided to establish the bases for a Foundation which would bear his name; this initiative led to the «Association pour la Fondation Le Corbusier». Prior to his death, Le Corbusier bequeathed his estate to the Fondation, and Raoul La Roche, a close personal friend of the arquitect, generously donated his house in Docteur Blanche, built by Le Corbusier in 1923. The Fondation subsequently acquired the Albert Jeanneret house, next door to the La Roche house.

Segundo piso
1 Hueco de la galería
2 Biblioteca
3 Hueco del hall
4 Habitación
5 Lavabo
6 Guardarropía
7 Sala
8 Comedor
9 Cocina

Second floor plan
1 Gallery opening
2 Library
3 Hall opening
4 Bedroom
5 Washroom
6 Cloakroom
7 Living room
8 Dining room
9 Kitchen

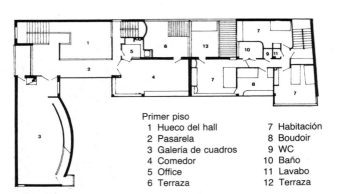

Primer piso
1 Hueco del hall
2 Pasarela
3 Galería de cuadros
4 Comedor
5 Office
6 Terraza
7 Habitación
8 Boudoir
9 WC
10 Baño
11 Lavabo
12 Terraza

First floor plan
1 Hall opening
2 Corridor
3 Picture gallery
4 Dining room
5 Office
6 Terrace
7 Bedroom
8 Dressing room
9 Toilet
10 Bathroom
11 Washroom
12 Terrace

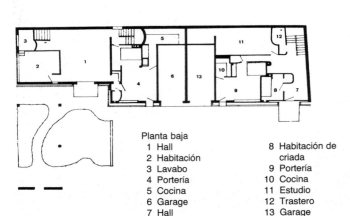

Planta baja
1 Hall
2 Habitación
3 Lavabo
4 Portería
5 Cocina
6 Garage
7 Hall
8 Habitación de criada
9 Portería
10 Cocina
11 Estudio
12 Trastero
13 Garage

Ground floor plan
1 Hall
2 Bedroom
3 Washroom
4 Porter's office
5 Kitchen
6 Garage
7 Hall
8 Maid's room
9 Porter's office
10 Kitchen
11 Studio
12 Boxroom
13 Garage

Casa La Roche
1 Pabellón con la
  galería de pintura
2 Hall

La Roche house
1 Annexe with the
  picture gallery
2 Hall

1

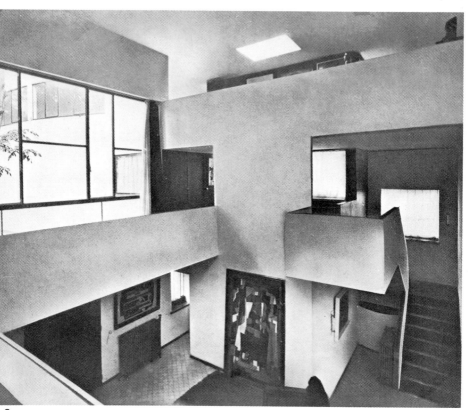

2

1926 Casa Cook en Boulogne-sur-Seine; (6, rue Denfert-Rocherau)

Aquí se puede ver con claridad cómo se aplican las experiencias y hallazgos adquiridos hasta este momento: los pilotis, la terraza-jardín, la planta libre, la fachada libre, la ventana corrida.

1926 Cook house in Boulogne-sur-Seine (6, rue Denfert-Rocherau)

This scheme clearly illustrates how the experiences and discoveries which preceded it have been put into practice: the pilotis, the roof garden, the open floor plan, the free facade, the linear window.

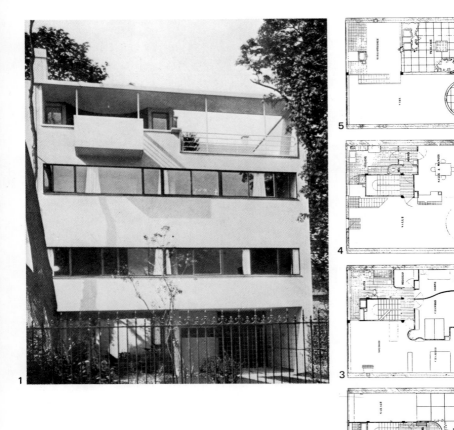

1 Fachada a la calle	1 Street facade
2 Planta baja	2 Ground floor plan
3 Primer piso	3 First floor plan
4 Segundo piso	4 Second floor plan
5 Terraza-jardín	5 Roof garden

1925 Casa Meyer, París, proyecto
«Este no es un proyecto nacido apresuradamente del lápiz del diseñador, entre telefonazo y telefonazo. Muy al contrario, maduró lentamente, arropado en la tranquilidad de un paraje clásico...» (L-C).
1 Vestíbulo en la planta baja
2 Recibidor y salón del primer piso; a la derecha, el comedor
3 Sala de estar y galería
5 Dormitorio, segundo piso
6 Jardín en la terraza

1925 Meyer house in Paris, project
«This project was not conceived under pressure, between telephone calls. Quite the opposite; it matured slowly, nurtured in the peaceful tranquility of an idyllically classical spot...» (Le Corbusier)
1 Entrance hall on the ground floor
2 Reception room/salon on the first floor; to the right, the dining room
3 Living room and gallery
5 Bedroom on the second floor
6 The garden on the terrace

1927 Villa Stein, en Garches
(17, rue du Prof. Victor-Pauchet)

Esta casa representa una importante etapa en donde se reúnen los problemas del confort, del lujo y de la estética arquitectónica. La casa está totalmente sostenida por pilares que equidistan 5 m (17') y 2,5 m (8') sin que preocupara el interior. Si

1927 Stein villa in Garches
(17, rue du Prof. Victor-Pauchet)

This house marks an important stage in Le Corbusier's work, bringing together issues of comfort, luxury and architectonic aesthetics. The house is supported entirely by pillars distributed at intervals of 5 m (17') and 2,5 m (8'), which are nevertheless slender enough not to block the

Primeros estudios

First sketch designs

40

se juntaran todos los pilares daría una sección de 110/80 cm (4'/ 2 1/2'). Es decir, esta inmensa mansión está totalmente sostenida por una sección de hormigón de 110/80 cm (4'/2 1/2'). La impresión de riqueza no viene de la utilización de materiales de lujo sino de la disposición interior y las proporciones.

interior. If all these pillars were set side by side, the resulting section would measure 110/80 cm (4'/2 1/2'). Thus the whole of this great mansion is held up by a concrete section measuring 110/80 cm (4'/2 1/2'). The impression of richness is produced not by the use of luxurious materials but by the building's interior layout and proportions.

1 Vista de la entrada
2 Primer piso
3 Planta baja
4 Terraza-jardín
5 Segundo piso

1 View of the entrance
2 First floor plan
3 Ground floor plan
4 Roof garden
5 Second floor plan

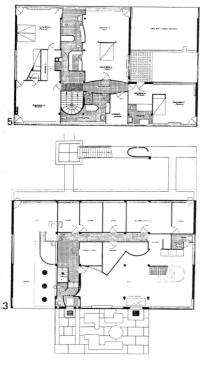

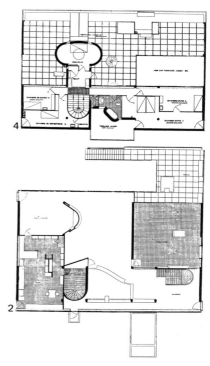

1 Vista del jardín
2 Vista de la entrada
3 Fachada norte y sur con los trazos
  reguladores
4 Fachada sur con jardín en el primer piso

1 View of the garden
2 View of the entrance
3 The north and south facades showing the lines
  of proportion
4 Detail of the south facade with the first floor garden

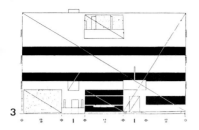

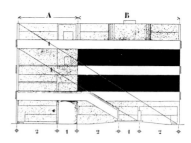

Villa Stein

Stein villa

3

4

1929 Villa Savoie, en Poissy (camino de Villiers)

La planta principal con su terraza-jardín está construida sobre pilotis de tal forma que se domine una amplia vista hacia el horizonte. La orientación del sol es opuesta a la de la vista. Se recuperará éste a través del espacio abierto por la terraza-jardín. Para coronar el conjunto, hay un solárium cuyas formas curvas protegen del viento y constituyen un rico elemento arquitectónico. Actualmente la casa Savoie está clasificada por el Gobierno francés, gracias a André Malraux, como monumento histórico.

1929 Savoie villa in Poissy (Villiers road)

The main floor with its terrace-garden is raised up on pilotis so as to command a view of the surrounding country, and looks to the north rather than towards the sun, which shines into the open space of the terrace-garden. The complex is completed with a solarium whose curving forms give shelter from the wind and constitute an element of great architectural richness. The Savoie house has been classified by the French government as a historic monument, thanks to André Malraux.

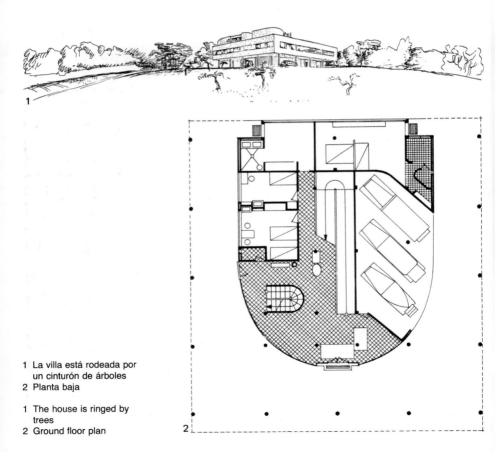

1

2

1 La villa está rodeada por un cinturón de árboles
2 Planta baja

1 The house is ringed by trees
2 Ground floor plan

44

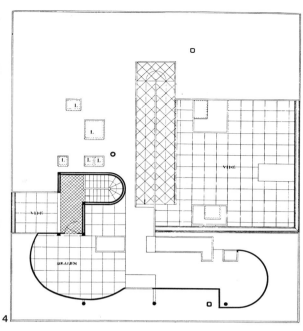

3 Piso de vivienda
4 Terraza con solárium
5 Sección transversal

3 Plan of the main floor
4 The terrace and solarium
5 Transverse section

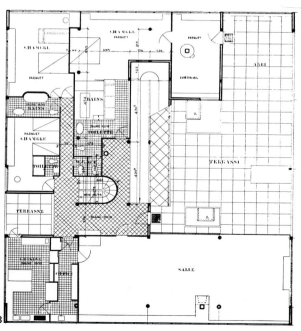

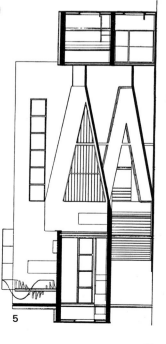

45

1

1 Angulo sur
2 Angulo norte
3 Terraza en el primer piso
4 Salón y vista de la terraza

1 View from the south   2 View from the north
3 The terrace on the first floor
4 View of the living room looking onto the
terrace

2

3

4

1928 Villa en Cartago, Túnez

El problema consistía en evitar el sol y asegurar la constante ventilación de la casa. La sección muestra varias soluciones: la casa cuenta con un parasol, que proyecta sombra a las habitaciones. Desde la planta baja hasta la parte superior, todas las habitaciones comunican entre sí, estableciendo una corriente de aire constante.

1 Sección del salón
2 Segundo piso
3 Sala de estar con galería
4 Salón con la galería de la terraza
5 Lado mar

1928 Private house in Carthage, Tunisia

The problem here was to provide shelter from the sun and create a constant through draught for ventilation. The section reveals a variety of solutions: the house has its own parasol which throws shadow over the rooms. All of the rooms of the house, from the ground floor to the upper part of the building, are intercommunicating, allowing a constant through-flow of air.

1 Section through the house
2 Second floor plan
3 The living room with gallery
4 The salon and terrace gallery
5 View from the sea

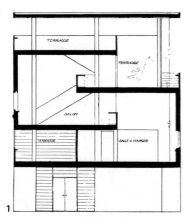

1

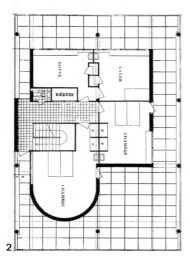

2

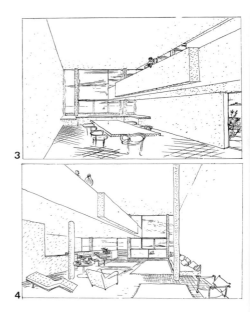

3

4

5

48

1930 Edificio «Clarté» en Ginebra
(2, rue St. Laurent)

El edificio «Clarté», proyectado por Le Corbusier y realizado por Edmond Wanner, es el resultado de largos estudios previos. Se trata de un edificio de alquiler de 45 apartamentos del tipo «duplex». El edificio está construido en serie, con estructura de acero, según un estricto módulo de pilares, vigas y ventanas. En 1970, por razones de especulación, se pretendió derribar este edificio. Un grupo de amigos de Le Corbusier logró impedir este abuso.

1 Planta de un piso
2 Fachada de la entrada

1930 «Clarté» building in Geneva
(2, rue St. Laurent)

The «Clarté» building, designed by Le Corbusier and constructed by Edmond Wanner, is the outcome of a long process of study. The building contains 45 rented duplex apartments, and was constructed using industrialised techniques, with a steel structure based on a strict modular sequence of pillars, beams and windows. In 1970, when property speculators wanted to demolish the building, a group of Le Corbusier's friend managed to save it.

1 Typical floor plan
2 View of the entrance facade

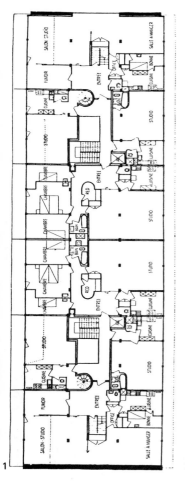

1

2

**1929 Ciudad Refugio en París
(12, rue Cantagrel)**

Se trata del primer edificio totalmente hermético para viviendas, que comporta una vidriera de mil metros cuadrados, sin aberturas. El interior está provisto de un sistema de aire acondicionado que dio inmejorables resultados en invierno y muy satisfactorios en verano. Esta instalación de aire acondicionado se realizó con pocos fondos.

1 Planta del hall y de los comedores
2 Planta de un piso con guardería y dormitorios
3 Planta del ático con habitaciones reducidas para madres e hijos
4 Entrada

**1929 City of Refuge in Paris
(12, rue Cantagrel)**

This was the first entirely hermetic, enclosed apartment building, with a thousand square metres of glazed facade without a single opening. The interior is provided with an air-conditioning system, which is ideal in winter as well as being highly satisfactory in summer. This air-conditioning system was installed at very little expense.

1 Plan of the hall and dining rooms
2 Plan of a floor with a nursery and dormitories
3 Plan of the attic with smaller rooms for mothers and children
4 View of the entrance

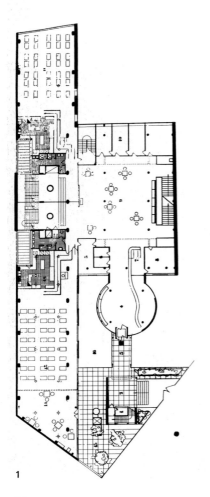

1   2   3

4

1927 Proyecto para el palacio de la Sociedad de Naciones, en Ginebra (8 y 14, avenue de la Paix)
El proyecto obtuvo el primer premio del jurado profesional en el gran concurso internacional de 1927. A causa de maniobras, que como mínimo deben calificarse de deshonestas, se arrebató a los autores el fruto de su trabajo, y la realización del palacio se confió a cuatro arquitectos de tendencias academicistas. La opinión pública se indignó profundamente por esta injusticia.
1 Planta general a nivel de suelo
2 Vista del palacio desde la carretera de Lausana
3 El palacio visto desde el lago

1927 Project for the League of Nations Building in Geneva (8 and 14, avenue de la Paix)
The project was awarded first prize by the jury of professionals judging the international competition in 1927. By means of manoeuvres which were, at the very least, dishonest, the creators of the project were robbed of the fruits of their labours, and construction of the building was entrusted to four architects of markedly academic bent, occasioning something of a public outcry at this injustice.
1 General plan at ground level
2 View of the complex from the Lausanne road
3 View of the complex from the lake

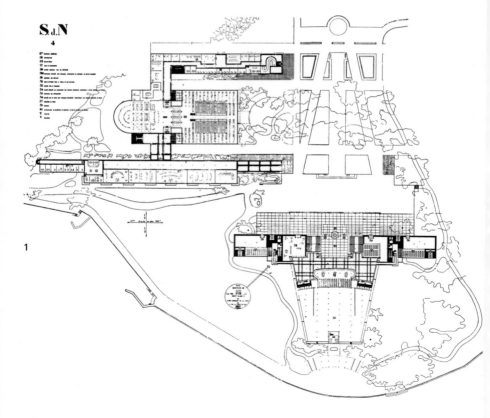

1

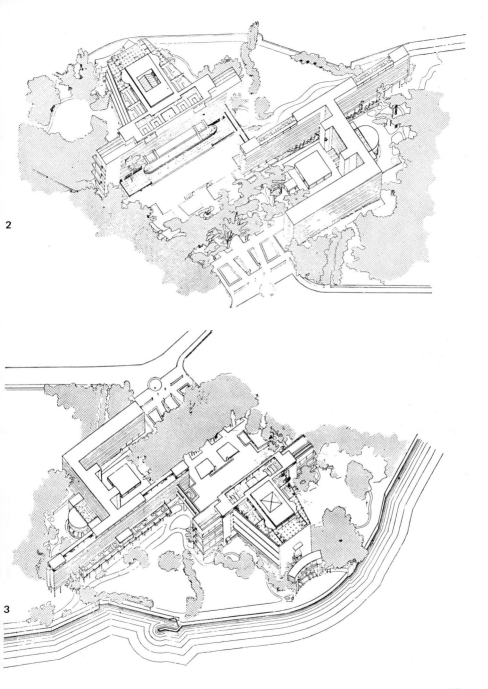

2

3

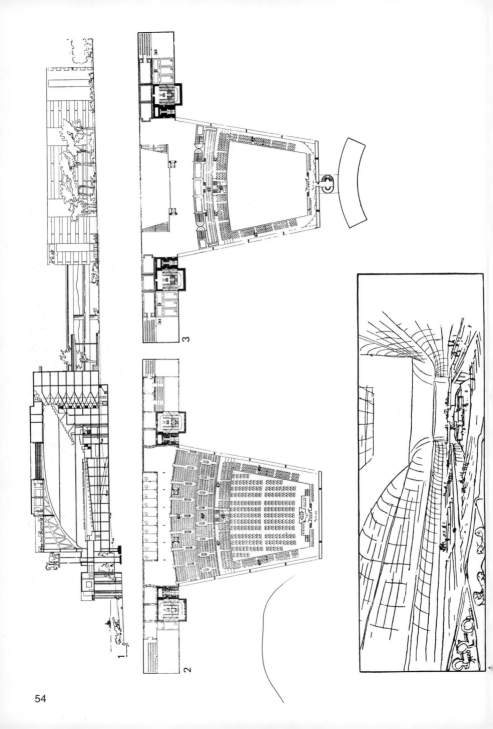

1 Planta de la sala de actos, fachada norte del
  secretariado
2 Planta general. Localidades para 2600
  asistentes
3 Planta destinada a los diplomáticos
4 Vista de la sala de actos
5 Garaje bajo pilotis
6 Secretariado

1 Section through the assembly hall on the north
  facade of the Secretariat building
2 General floor plan. The hall has capacity for
  2,600
3 Plan of the floor to be used by the diplomats
4 View of the interior of the assembly building
5 The car park beneath the pilotis
6 The Secretariat building

1929 Palacio de Centrosoyus, en Moscú

Se trataba de construir unas modernas oficinas con capacidad para 3500 empleados. Además hay todos los servicios comunes, como restaurante, salas de reunión, de espectáculos, club, salas de gimnasia, etc. Es una unidad que incluye trabajo y recreo. El edificio se construyó en hormigón armado con muros de relleno de piedra roja del Cáucaso. Los bloques de piedra cortada tienen un espesor de 0,4 m (1 1/2') que aseguran por sí solos el aislamiento de temperatura entre los −40° de frío del exterior y los 18° de calor del interior. Desgraciadamente las autoridades rusas no aceptaron el principio de «respiración exacta» que fue ideado especialmente para este palacio.

1929 Centrosoyus building in Moscow

The aim here was to construct a modern office building with capacity for 3,500 workers, together with all the communal services such as a restaurant, meeting rooms, function suites, a social club, gymnasia, etc., in a complex that provides for both work and recreation. The building is constructed with a reinforced concrete structure and infill of red tufa from the Caucasus. The stone is cut in blocks 0.4 m (1 1/2') thick, and is itself sufficient insulation between the temperatures of down to −40° on the exterior and 18° in the interior. Unfortunately, the Russian authorities refused to accept the principle of «exact respiration» which was developed especially for this building

1 Planta baja
2 Planta tercera
3 Vista desde la calle

1 Ground floor plan
2 Third floor plan
3 View from the street

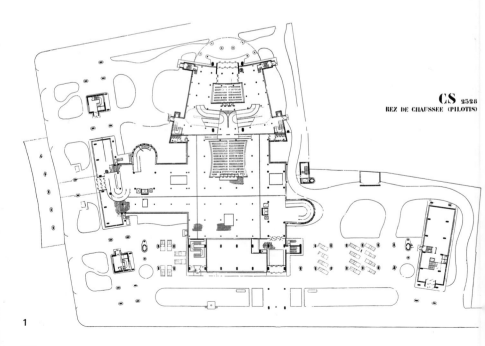

CS 2528
REZ DE CHAUSSEE (PILOTIS)

1

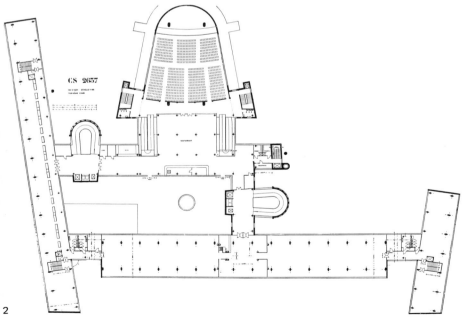

2

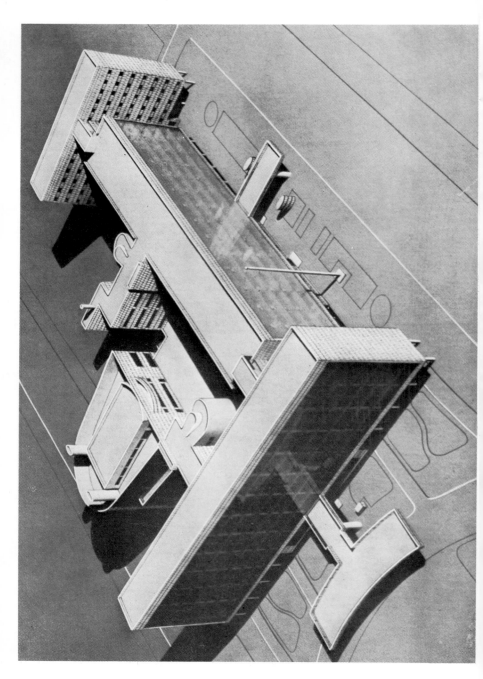

1931 Palacio de los Soviets, en Moscú
El proyecto comportaba una gran complejidad de salas, oficinas, bibliotecas, restaurantes, etc. Una sala para 15.000 espectadores para los actos de masas, con un escenario capaz para 1500 actores y un apreciable material.

1931 Palace of the Soviets in Moscow
The project was made up of an enormous complex of halls, offices, libraries, restaurants, and so on, including a great hall for mass public events, capable of seating 15,000, with a stage large enough for 1,500 performers together with all their material.

Vista de pájaro: separación del tráfico de coches y tranvías del de los peatones.

Aerial view showing the separation of vehicular (cars and trams) and pedestrian traffic

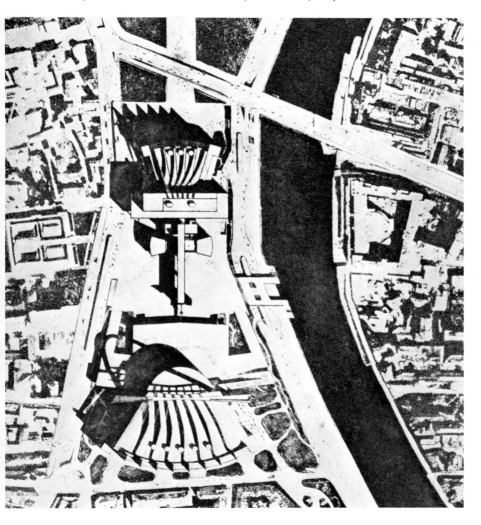

1 Fachadas laterales
2 Planta general del nivel de las salas
3 Maqueta

1 Side facades
2 General plan of the level with the assembly halls
3 View of the model

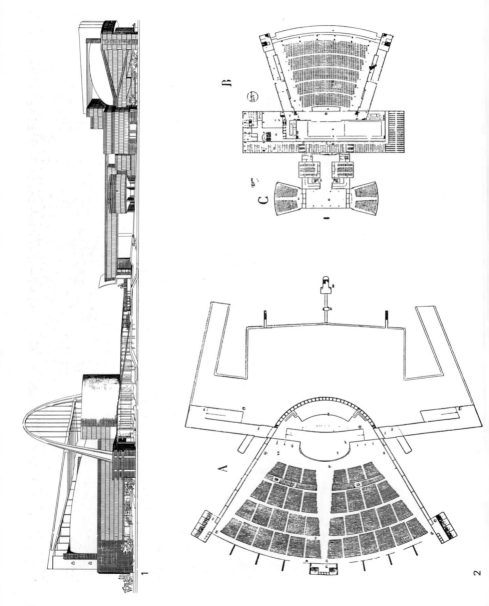

3

1930 Pabellón suizo de la Ciudad Universitaria de París (bd. Jourdan)

La construcción de este pabellón, realizado en circunstancias especialmente difíciles, dio ocasión para montar un verdadero laboratorio de arquitectura moderna. Se abordaron problemas de la mayor urgencia, en especial la prefabricación y la insonorización.

1 Planta baja a nivel de pilotis
2 Planta de uno de los pisos-tipo de las habitaciones de estudiantes

1930 Swiss pavilion on the Cité Universitaire campus, Paris (Boulevard Jourdan)

The construction of this pavilion, which was carried out under particularly difficult circumstances, provided the occasion for the setting up of a full-scale laboratory of modern architecture, in which problems of the greatest urgency, such as prefabrication and acoustic insulation, were tackled.

1 Ground floor plan at the level of the pilotis
2 Typical floor plan showing the students' rooms

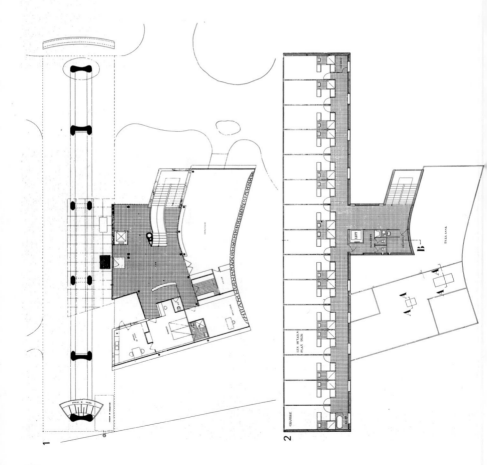

Fachada sur

View of the south facade

Fachada norte

View of the north facade

1933 Edificio de la Rentenanstalt en Zurich, proyecto

Este edificio fue motivo de un concurso en 1933; el presente proyecto fue admitido por el jurado como fuera de concurso ya que los mismos autores admitieron que las técnicas modernas determinaban un edificio distinto al que preveían las bases del concurso, que presuponían una construcción tradicional [altura de 20 m (66'), patio central...]. Se olvidaba que un edificio de administración moderna es un elemento totalmente nuevo, tanto desde el punto de vista organizativo como desde el punto de vista de la biología arquitectónica.

1 Terraza-jardín
2 Noveno piso (terraza)
3 Sala de conferencias
4 Despachos

1933 Rentenanstalt building in Zurich, project

A competition was held in 1933 for the design of this building; Le Corbusier's project was considered by the jury to fall outwith the competition proper, since the architects themselves admitted that the modern techniques employed resulted in a building quite different from that asked for in the brief, which envisaged a traditional construction [height of 20 m (66'), central courtyard...]. What they failed to realise was that a modern administrative building is a completely new element, not only from the organisational point of view but from the point of view of its architectonic biology.

1 Roof garden
2 Plan of the 9th floor terrace
3 Conference room
4 Offices

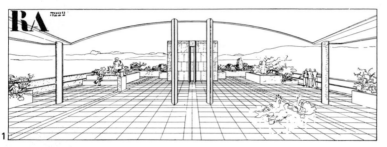

Planta del cuarto piso

Plan of the 4th floor

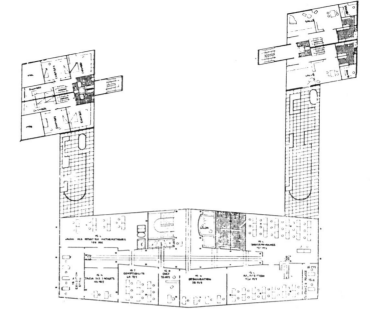

Maqueta

View of the model

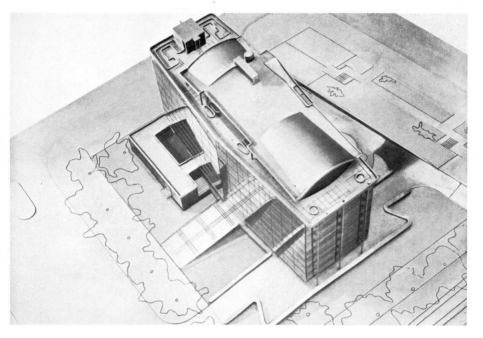

1933 Viviendas «Durand», en Oued-Ouchaia (Argel), proyecto

Las viviendas en vez de esparcirse en muchas unidades por el magnífico terreno formado por colinas y valles, se agrupaban en cuatro grandes edificios, dotados de los necesarios servicios comunes y albergando cada uno cerca de 300 familias. Así se preservaba el terreno, en el que se acondicionaban parques deportivos y parques de paseo; en las pequeñas vaguadas estaban las piscinas.

1 Vista general de la urbanización
2 Terraza-jardín de un piso
3 Sección transversal
4 Acceso

1933 «Durand» residential development in Oued-Ouchaia (Algeria), project

Instead of being scattered across the hills and valleys of this magnificent terrain, the housing is grouped together in four large buildings, equipped with all the necessary communal services, each with capacity for some 300 families. In this way the landscape has been conserved for laying out with parks, sports and games areas and paths, and swimming pools in the gullies.

1 General view of the development
2 Terrace-garden of one of the apartments
3 Transverse section
4 The access

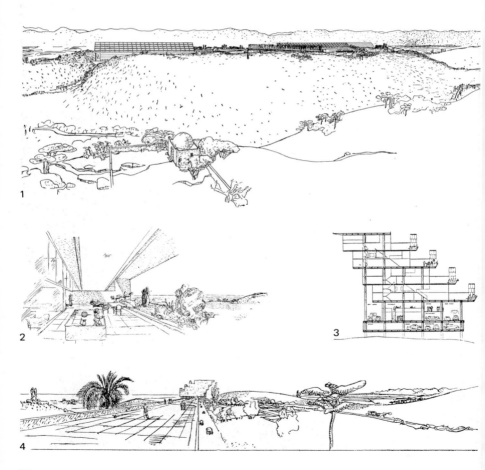

1933 Casas unifamiliares en Oued-Ouchaia (Argel), proyecto

La urbanización Durand consta de cuatro grandes edificios (p. 66) y casas unifamiliares a las que se llega por una avenida horizontal.

1 Planta baja
2 Sección transversal
3 Grupo de casas unifamiliares. Las ventanas llevan un «brise-soleil»

1933 Casa de alquiler en Argel, proyecto

Esta casa está en un emplazamiento característico de la ciudad; pegada al acantilado

4 Piso principal
5 Galería de piso principal
6 Lados sur y oeste con los «brise-soleil»

1933 Private houses in Oued-Ouchaia (Algeria), project

In addition to four large apartment blocks, the Durand residential development (p. 66) contained a number of detached private houses laid out along a level avenue.

1 Ground floor plan   2 Transverse section
3 A group of private houses. The windows have «brise-soleil» screens

1933 Apartment building in Algiers (Algeria), project

The location of this apartment building, on the slope of the hillside, is typical of the city of Algiers.

4 Main floor plan   5 The gallery of the main floor
6 South and west facades with the «brise-soleil» screens

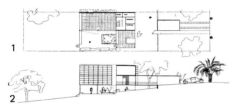

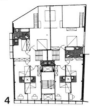

1933 Edificio de alquiler con piso L-C en la Porte Molitor, París (24, rue Nungesser-et-Coli)

Las seis primeras plantas son de apartamentos y en las dos últimas Le Corbusier tenía su vivienda con una terraza-jardín. «La gran pared de piedra del taller se convirtió en un amigo diario. Su textura, la realidad de su aparejo, el color firme y neutro no constituye un almohadón de pereza para un hombre, sino al contrario, una especie de adversario...»

1 Pared medianera en el taller de L-C
2 Fachada de entrada
3 Escalera a la terraza-jardín
4 Planta baja
5 Planta tipo
6 Planta 7.ª
7 Planta 8.ª, solárium, habitación de huéspedes

1933 Apartment building and Le Corbusier's residence in Porte Molitor, Paris (24, rue Nungesser-et-Coli)

The first six floors of the building are occupied by apartments; on the top two floors Le Corbusier had his residence, with its roof garden. «The large stone wall of the studio became a constant friend. Its texture, the tangible reality of its bonding, the firm, neutral colour of the stone made is not a cushion for one's laziness but a kind of adversary...»

1 The end wall of Le Corbusier's studio
2 The entrance facade
3 The stairs to the roof garden
4 Ground floor plan
5 Typical floor plan
6 Plan of the 7th floor
7 Plan of the 8th floor with the solarium and guest room

1

3

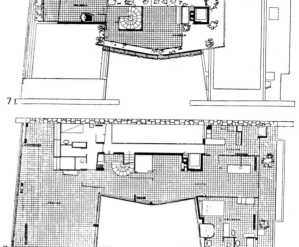

7

6

2

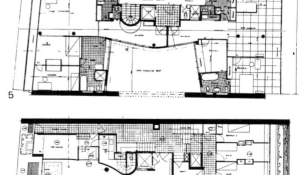

5

4

1930 Casa Errazuris, en Chile
Esta casa se construyó sin conocimiento de L-C.
Pero se realizó su proyecto a orillas del Océano
Pacífico, con materiales propios del lugar.
1 Vista general
2 Vista del interior

**1935 Casa para fin de semana en
La Celle-Saint-Cloud, cerca de París**
Su altura es de 2,6 m (9'). La casa está en un
ángulo del terreno; el techo es de césped sobre
bóvedas rebajadas. Utilización de un material tradicional: mampostería de piedra vista.
3 Vista general   4 Planta
5 Vista de la sala sobre la pérgola

**1935 Casa de vacaciones en Les Mathes,
cerca de La Rochelle**
Obra realizada en sillería del lugar, estructura de
madera y cubierta de placas de amianto-cemento
onduladas.
6 Fachada norte
7 Fachada sur   8 Piso

1930 Errazuris house, Chile
This house was constructed without Le Corbusier's
knowledge, albeit in line with his project, on a site
overlooking the Pacific Ocean, using local materials.
1 General view of the house
2 View of the interior

**1935 Weekend house in La Celle-Saint-Cloud,
Paris**
The house stands 2,6 m (9') high, set in a corner of
the site; the low vaults of the roof are covered with
grass. The unfinished stone masonry is traditional in
this area.
3 General view of the house   4 Floor plan
5 View of the pergola from the living room

**1935 Holiday house in Les Mathes,
near La Rochelle**
The building was constructed from local stone, with
a wooden structure and a roof of corrugated
asbestos cement.
6 North facade
7 South facade   8 Floor plan

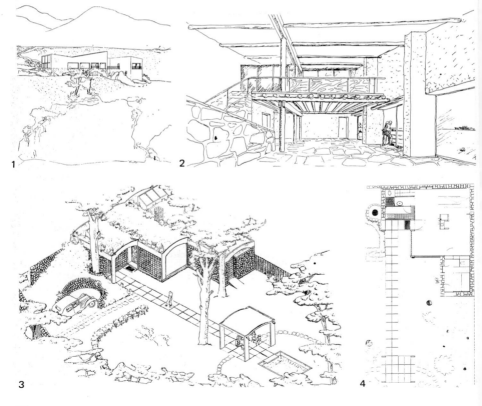

1

2

3

4

6

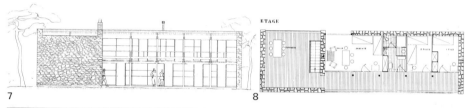

7　　　　　　　　　　　　　　　　　　8　ETAGE

5

1937 Pabellón de «Les Temps Nouveaux», Exposición Internacional, París, «proyecto D»

Este inmenso pabellón (15 000 m³, 424'³) era de lona; paredes y techo. La policromía tenía mucha fuerza: pared frente a la entrada de rojo intenso, pared izquierda en verde, pared derecha en gris oscuro, pared de entrada en azul; suelo de gravilla amarillo claro; techo de gruesa lona impermeabilizada en color amarillo fuerte. Los 1600 m² (148'²) de exposición hacían contrastar estos colores básicos: grandes pinturas murales, paneles con llamativos esquemas gráficos, fotos, etc...

1 Fachada principal (entrada)
2 Planta baja
3 Dibujo de L-C para el pabellón
4 Interior del pabellón con las rampas

1937 «Les Temps Nouveaux» pavilion for the Paris International Exhibition, «project D»

This enormous pavilion (15,000 m³, 424'³) was entirely of canvas, sides and roof. The colour scheme was particularly powerful: the side opposite the entrance was of a deep red, the right side of dark grey, the entrance wall of blue; the floor was covered with pale yellow gravel, and the roof was a heavy canvas awning in a strong yellow. The 1600 m² (148'²) of exhibition panels were in pronounced contrast to the primary colours: huge murals, striking graphic displays, photographs, etc. ...

1 Main facade (entrance)
2 Floor plan
3 Drawing by Le Corbusier for the pavilion
4 View of the interior with the ramps

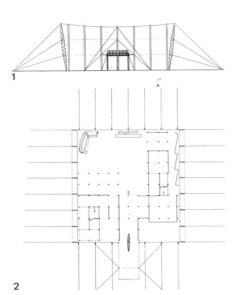

1

2

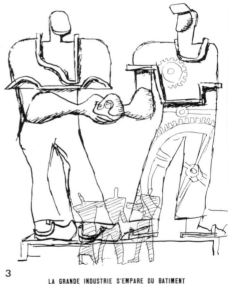

3

LA GRANDE INDUSTRIE S'EMPARE DU BATIMENT

4

**1939 Proyecto para el pabellón francés,
San Francisco o Lieja**

«...los pabellones de exposiciones en los últimos tiempos venían siendo una muestra de arquitectura "de baratija" que intentaba imitar la realidad de las casas o palacios construidos "de verdad". Nuestra idea, al contrario, era más bien recoger la gran tradición de las Exposiciones Universales del siglo XIX (hierro y vidrio) y crear unos "lugares de exposición" que atrajeran a los visitantes y crearan una emoción arquitectónica gracias a la claridad de las soluciones propuestas. Así era este proyecto, realizado en chapa de acero soldada...».

1 Pabellón abierto con dos rampas de acceso
2 Planta del pabellón

**1939 Project for the French pavilion
for San Francisco or Liège**

«... in recent years, exhibition pavilions have come to be examples of cheap, ephemeral architecture trying to imitate rural houses or public buildings. Our aim, in contrast, has been to return to the great tradition of the Expositions of the 19th century (in iron and glass) to create 'exhibition spaces' which will attract visitors and encourage architectural emotions by virtue of the clarity of the solutions put forward. That is how this projects was to be, constructed of welded sheet steel...»

1 Open pavilion with two access ramps
2 Floor plan of the pavilion

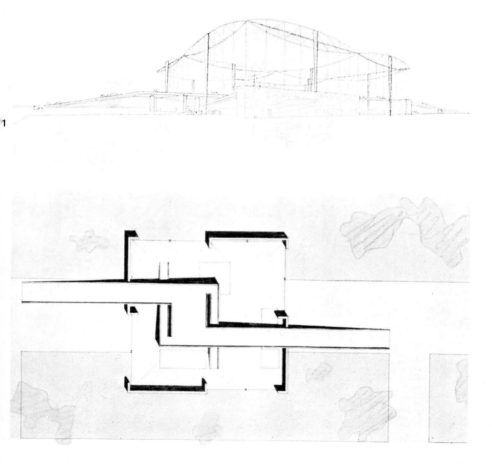

1

1936 Palacio del Ministerio de Educación Nacional y Salud Pública, Río de Janeiro
Arquitectos: Luis Costa, Oscar Niemeyer, Alfonso Reidy, Carlos Leao, Jorge Moreira, Ernani Vasconcelos. Arquitecto consejero: Le Corbusier. Además de cuestiones prácticas como los «brise-soleil», los pilotis, la cristalera, la estructura independiente, la terraza-jardín, etcétera... Le Corbusier intervino en la cuestión del entorno. Le sorprendió ver que los edificios oficiales de Río estaban construidos con piedra de Bourgogne, cuando la ciudad está en un terreno en el que abunda el granito gris y el rosado.

1936 Headquarters for the National Ministry of Education and Public Health, Rio de Janeiro
Architects: Luis Costa, Oscar Niemeyer, Alfonso Reidy, Carlos Leao, Jorge Moreira, Ernani Vasconcelos. Consultant architect: Le Corbusier. In addition to practical matters such as the «brise-soleil» shades, the pilotis, the glazing, the free-standing structure, the roof garden, and so on, Le Corbusier was involved in the question of the building's context. He was surprised to find Rio's public buildings constructed of Burgundy stone when the area around the city was abounding in grey and pink granite.

1

1 Fachada norte con entrada
2 Planta baja
3 Cuarto piso
4 Entrada para el público

1 View of the north facade and the entrance
2 Ground floor plan
3 Fourth floor plan
4 The public entrance

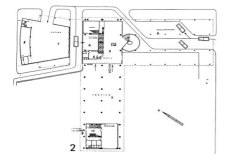

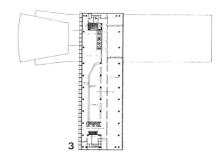

1936 Estadio; proyecto de un centro nacional de esparcimiento popular para 100 000 espectadores

El problema era crear un anfiteatro con buena visibilidad, provisto de las más diversas instalaciones. Un sistema de circulación interior permitía la movilidad de los 100 000 espectadores. Como cubierta del estadio se proponía una solución flexible y semirrígida. En conjunto, un aspecto monumental aunque no severo.

1936 Stadium project for a national recreation centre with capacity for 100,000 spectators

The problem was to create an amphitheatre with optimum visibility, equipped with a great variety of services and facilities. An internal circulation system would channel the flow of the 100,000 spectators. The roof was to be a flexible, semi-rigid construction, and the complex as a whole would be monumental without being severe.

1 Plano general
2 Maqueta a vista de pájaro
3 Cubierta de lona del estadio

1 General plan
2 Aerial view of the model
3 The canvas roof of the stadium

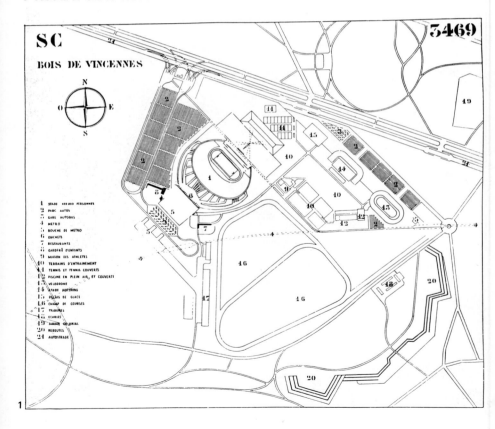

1

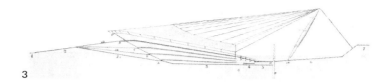

3

2

1937 Monumento en memoria de Vaillant-Couturier en Villejuif (París), proyecto

«...el fenómeno revolucionario que siempre encarnó Francia en su espíritu creador y humano podía manifestarse aquí bajo un pretexto: el homenaje a Vaillant-Couturier. Pretexto capaz de desbordar al hombre para alcanzar la idea. Y desde la idea pasar a la gran mutación que transforma hoy la sociedad industrial y maquinista...»

Marie-Edouard Vaillant Couturier fue un importante político de la Comuna (1871) y miembro del Consejo General de la Internacional.

1937 Monument to the memory of Vaillant-Couturier in Villejuif (Paris), project

«... the revolutionary phenomenon which in France has always incarnated the creative human spirit had the opportunity to manifest itself here under the pretext of a homage to Vaillant-Couturier. This pretext seemed to extend beyond the man to the idea itself, and from the idea to go on touch on the great change which is presently transforming industrial, machine-age society...»

Marie-Edouard Vaillant-Couturier was a leading politician in the Commune of 1871 and a member of the General Council of the Socialist Internacional.

Vista de conjunto del monumento

Overall view of the monument

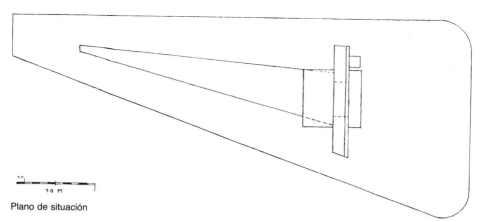

Plano de situación

Site plan

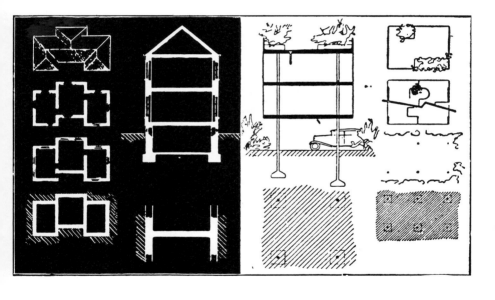

¿El desastre contemporáneo
o
la libertad total del espacio?

The contemporary disaster
or
total freedom of space

1940 Casas «Murondins», proyecto

Era la única posibilidad de dar alojamiento a los damnificados de la guerra: coger tierra y ramas de árboles para levantar, sin mano de obra especializada, refugios como los de los leñadores en los bosques.

1 Sala de estar central
2 Dormitorio de cinco camas
3 Aula
4 Planta
5 Sección
6 Las construcciones «Murondins» se integran en el paisaje

1940 «Murondins» houses, project

This was the only possible way of accomodating France's war refugees, the homeless and displaced: a plot of ground and tree branches could provide, with no need for any special technical skills, shelters like those built by woodcutters.

1 Central living area
2 Five-bed dormitory
3 Classroom
4 Floor plan
5 Section
6 The «Murondins» constructions blend into the landscape

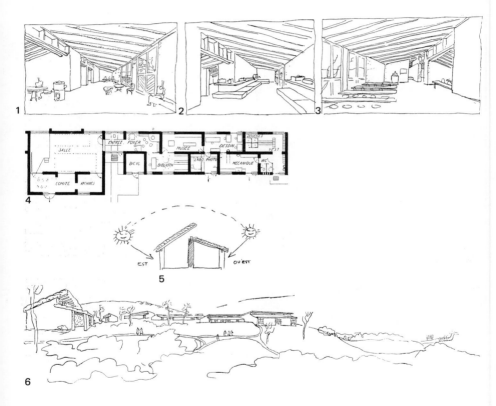

1940 Escuelas móviles para refugiados de guerra (pág. 83)

Estos estudios para escuelas móviles se hicieron con la colaboración del constructor de Nancy, Jean Prouvé. Las alturas adoptadas, de 2,2 m (7') y 4,5 m (15') son el resultado de la experiencia y estudios de veinte años.

1940 Temporary movable schools for war refugees (page 83)

These studies for mobile schools were carried out in collaboration with the constructor Jean Prouvé, of Nancy. The heights adopted, 2,2 m (7') and 4,5 m (15'), are the fruit of twenty years of experience and experimentation.

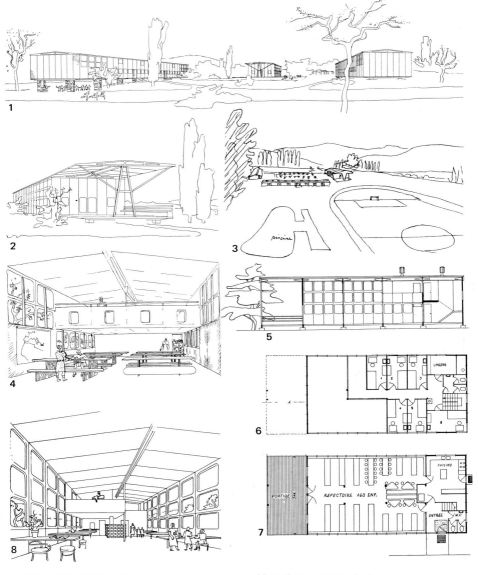

1 Vista de una escuela móvil
2 Detalle
3 Taller de trabajos manuales y estadio
4 Interior de un aula
5 Sección longitudinal
6 Primer piso
7 Planta baja con un aula
8 Interiores de una escuela

1 View of a temporary school
2 Detail of the construction
3 Crafts workshop, sports field and swimming pool
4 Interior of a classroom
5 Longitudinal section
6 First floor plan
7 Plan of the ground floor with classroom
8 View of the interior of the school

83

1940 M.A.S. Casas prefabricadas, proyecto

Después de numerosos años de estudio se consiguió un resultado apreciable: estandarización total de los elementos de construcción, pilares y vigas de hierro, elementos del techo y de la fachada de plancha e incluso escaleras, ventanas, puertas, cocinas y sanitarios.
1 Vista de la sala
2 Planta baja
3 Primer piso
4 Sección

1940 M.A.S. prefabricated houses, project

After a number of years of research, appreciable results were achieved: complete standardisation of the construction elements, the steel pillars and beams, roofing elements and facade panels, and even the stairs, windows, doors and kitchen and bathroom fittings.
1 View of the living room
2 Ground floor plan
3 First floor plan
4 Section

1

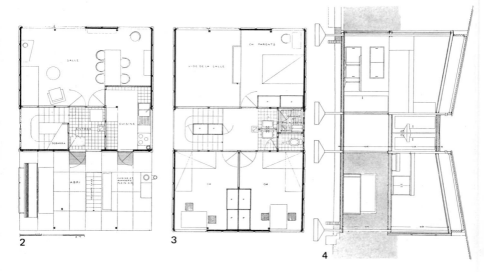

2   3

4

1940 Casa tipo para capataz, proyecto
Se utilizó el estudio realizado para la casa Loucheur
de 1929 (ver p. 30) aplicándolo a las condiciones
locales de materiales y mano de obra (mampostería,
cubierta y suelos de hormigón, panel de vidrio o
de madera).
1 Vista sur
2 Vista de la sala

1940 House type for foremen, project
The study drawn up for the Loucheur houses in
1929 (see p. 30) served as a starting point, which
was then applied to local conditions with regard
to workforce and materials (walls, roof and floors of
concrete, plate glass or wood).
1 View from the south
2 View of the living room

1

2

1942 Residencia en una explotación agrícola cerca de Cherchell, Africa del Norte, proyecto para M. Peyrissac

En 1942 no había casi mano de obra especializada, y los materiales casi inexistentes. El proyecto, pues, está concebido para ser realizado por albañiles indígenas con piedras del mismo terreno, con las que se hacían pilares o semimuros. El suelo está hecho de madera y el techo con bóvedas de ladrillo hueco, confeccionadas por los indígenas.

1 Sección
2 Vista general de la residencia
3 «Un edificio moderno: se consiguió el equilibrio entre el paisaje, el clima y la tradición» (L-C)

1942 Housing for agricultural workers near Cherchell, North Africa, project for M. Peyrissac

The shortage of trained construction workers was extremely acute in 1942, and materials were virtually nonexistent. This project was accordingly conceived so as to be built by local masons using stone from the immediate vicinity for pillars half-height walls. The floors are of wood, and the roof is made up of arched vaults of locally-produced hollow brick.

1 Section
2 General view of the housing complex
3 «A modern building: a balance is achieved between landscape, climate and tradition.» (Le Corbusier)

1

3

2

El Modulor

Una gama de dimensiones armónicas a la escala humana, aplicable universalmente a la arquitectura y a la mecánica.

En 1946, el profesor Albert Einstein había escrito a Le Corbusier, la misma noche siguiente al encuentro que habían tenido a propósito del Modulor: «Es una gama de dimensiones que facilita el bien y dificulta el mal» (traducción literal: que complica lo malo y simplifica lo bueno). A partir de 1947, este invento, protegido por una patente, fue dado a conocer al público por Le Corbusier. En 1948 aparecía el primer libro sobre el tema: «El Modulor». El segundo volumen fue publicado en 1954. Sin la menor propaganda, el Modulor había dado la vuelta al mundo entero y fue adoptado con entusiasmo por gran cantidad de profesionales y sobre todo por los jóvenes. Hay que admitir que era esperado, pues las tareas modernas de la serie, la normalización, la industrialización, no pueden ser abordadas sin la existencia de una gama común de dimensiones. El Modulor propone una. Vemos cómo investigaciones objetivas cuyas aplicaciones son prácticas y concretas, gracias a su desarrollo armonioso pueden incidir sobre el terreno social, económico y espiritual e indicar nuevos caminos. ¡Tal es la fuerza de los principios! Los principios no son una simplificación arbitraria, son la conclusión de minuciosas investigaciones; pueden ser los apoyos de una doctrina. Llegado el día, ante la amenaza del desorden, algunas ideas pueden llegar a convertirse en principios.

The Modulor

A set of harmonious dimensions on the human scale, universally applicable in architecture and mechanics.

In 1946, Professor Albert Einstein wrote to Le Corbusier, on the evening of the day of their Princeton meeting, regarding the Modulor: «It is a set of dimensions which makes the bad difficult and the good easy.» From 1947 on, Le Corbusier made his invention, duly protected by patent, public; the first book devoted to it appeared in 1948: «Le Modulor». The second volume was published in 1954. Without receiving any kind of propaganda or promotion, the Modulor idea spread all over the world, and was enthusiastically taken up by countless professional architects and designers, particularly the younger ones. It must be noted, of course, that the world was ready for such a system, in view of the fact that modern processes of serial production, standardisation and industrialised construction techniques could not be put into practice without some common system of dimensions such as that put forward by the Modulor. We can see how it brings out the practical, concrete applications of research, making possible its harmonious development and its influence in social, economic and spiritual matters, paving the way for innovation and progress, such is the strength of these principles! The principles embodied in the Modulor system are far from being an arbitrary simplification; they are the result of detailed and painstaking research; they might serve as the basis for an entire discipline. Confronted with the threat of a breakdown of order, certain ideas are capable of assuming the status of principles.

Primera explicación (1946) cuatro años después de la primera formulación (1942)

First explanation (1946), four years after the first formulation (1942)

1) La trama proporciona tres medidas 113, 70, 43 (en cm) (4', 2 1/2' y 1 1/2'), que están en relación ∅ (sección áurea): 43+70=113 (1 1/2'+2 1/2'=4'), ó 113−70=43 (4'−2 1/2'=1 1/2'). Sumadas dan: 113+70=183 (4'+2 1/2'=6 1/2'); 113+70+43=226 (4'+2 1/2'+1 1/2'=8')

2) Estas tres medidas (113, 183, 226) son las que caracterizan la ocupación del espacio por un hombre de seis pies (1,80 m)

3) La medida 113 proporciona la sección áurea 70, esbozando una primera serie, llamada SERIE ROJA, 4-6-10-16-27-43-70-113-183-296, etc.

4) La medida 226 (2×113) proporciona la sección áurea 140-86 esbozando la segunda serie o SERIE AZUL 13-20-33-53-86-140-226-366-592, etc.

5) Entre estos valores, o medidas, se pueden señalar los que característicamente se relacionan con la estatura humana.

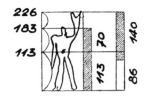

1) The schema provides us with three dimensions, of 113, 70 and 43 centimetres (4', 2 1/2' and 1 1/2') which have a relation of ∅ (golden section): 43 + 70 = 113 (1 1/2' + 2 1/2' = 4'), or 113 − 70 = 43 (4' − 2 1/2' = 1 1/2'). Added together they give: 113 + 70 = 183 (4' + 2 1/2' = 6 1/2'); 113 + 70 + 43 = 226 (4' + 2 1/2' + 1 1/2' = 8').

2) These three measurements (113, 183, 226) characterise the space occupied by a person 6 ft (1,80 m) tall.

3) The figure 113 gives us the golden section 70, yielding the first series, known as the RED SERIES, 4-6-10-16-27-43-70-113-183-296, etc.

4) The figure 226 (2 × 113) gives us the golden section 140-86, yielding the second series, known as the BLUE SERIES, 13-20-33-53-86-140-226-366-592, etc.

5) From these values, or measurements, we can identify those which characteristically relate to the human stature.

M O D U L O R			
série rouge		série bleue	
		I 177 73	
9 5 2	8 0		
5 8 8	8 6	7 2 7	8 8
3 6 3	9 4	4 4 9	8 5
2 2 4	9 2	2 7 8	0 2
1 3 9	0 2	1 7 1	8 2
8 5	9 2	1 0 6	1 9
5 3	1 0	6 5	6 3
3 2	8 1	4 0	5 6
2 0	2 8	2 5	0 7
1 2	5 3	1 5	5 0
7	7 3	9	5 8
4	7 9	5	9 2
2	9 6	3	6 6
1	8 3	2	2 6
1	1 3	I	4 0
	7 0		8 6
	4 3		5 3
	2 7		3 3
	1 7		2 0
	1 0		1 3
	6		8
	4		5
	2		3
I	5		2

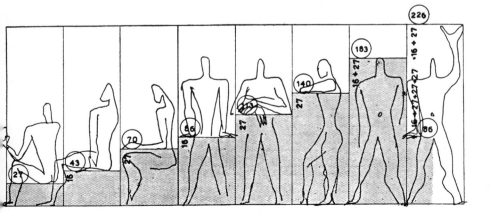

**1946 Manufacturas Duval en St. Dié
(88, avenue de Robache)**

De todos los esfuerzos a que obligó St. Dié, quedó
una llama perpetua: la amistad de uno de los jóvenes industriales promotores del plan de 1945: Jean
Jacques Duval cuya sombrerería había sido destruida por los alemanes. La construcción fue muy
lenta y constantemente dificultada por las circunstancias. No obstante, la pequeña fábrica de St.
Dié cuenta con elementos pertinentes a una arquitectura moderna: 1, unas proporciones totalmente
debidas al Modulor. 2, una sección muy expresiva.
3, una intensa manifestación de policromía en los
techos, carpintería y conducciones que se comple-
mentan a la perfección con la robustez del hormigón
bruto. La manufactura de St. Dié fue terminada
antes que «l'unité» de Marsella.

1 Fachada principal, 3 pisos provistos de «brise-
  soleil»
2 Terraza-jardín
3 Planta de la terraza-jardín y despachos
4 Planta del segundo piso
5 Fachada sudeste

**1946 Duval workshops in St. Dié
(88, avenue de Robache)**

Of all of Le Corbusier's involvement with the town of
St. Dié, one aspect still shines out like an eternal
beacon: his friendship with one of the young
industrialists behind the 1945 plan, Jean Jacques
Duval, whose hat manufacturing workshops had
been destroyed by the Germans. Construction
proved very slow, and was constantly hindered by
the difficult circumstances. Nevertheless, the little
factory in St. Dié displays all the characteristics
associated with modern architecture: 1, the
proportions, entirely derived from the Modulor; 2, a
highly expressive section; 3, the intensity of the
colour scheme used on the ceilings, the carpentry
work, pipes and ducts, perfectly complementing
the bare concrete. The St. Dié workshops were
completed before the «unité» in Marseille

1 Main facade. Three floors with «brise-soleil»
  screens.
2 Roof garden
3 Plan of the roof garden and offices
4 Second floor plan
5 South-east facade

1

2

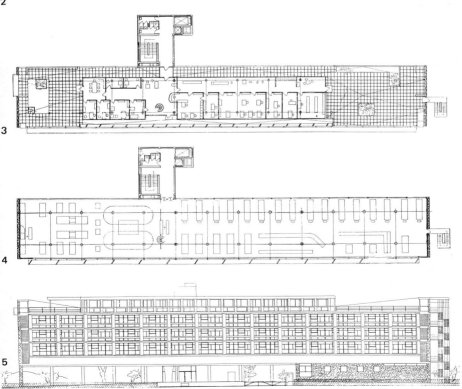

3

4

5

1947 Cuartel general permanente de la Organización de las Naciones Unidas, junto al East-River, N. Y.

Proyecto: Le Corbusier

Realización: Wallace K. Harrison

Al día siguiente de su llegada a Nueva York (25-I-1947) y después de una decisiva conversación con Harrison, arquitecto americano y viejo amigo suyo, Le Corbusier empezó el estudio del palacio en el emplazamiento junto al East-River. En el piso 21 del «RKO building» se instaló un estudio de diseño de la ONU para la realización del proyecto. La libreta de croquis, un «sketch-book» cuya primera hoja está fechada el 26 de enero de 1947, contiene hasta el mes de abril, cerca de sesenta páginas cubiertas de dibujos y pone de manifiesto el desarrollo de la creación del palacio y su última adaptación al emplazamiento que le correspondía junto al East River. Esta libreta es una verdadera exposición de biología arquitectónica. Desapareció en Boston en 1948 y reapareció en 1950. Al volverse a encontrar pasó a formar parte de los archivos de Le Corbusier en París, completando así la importante cantidad de documentos dibujados y redactados por su propia mano. Estos documentos serán algún día una auténtica contribución a la historia de la evolución de la arquitectura moderna. Lo mejor será, sin duda, reproducir la hoja impresa recto-verso que se distribuyó a los miembros de la ONU presentes en una recepción ofrecida en el estudio de Le Corbusier en diciembre de 1948, con ocasión de la sesión de las Naciones Unidas en el Palacio Chaillot de París, y coincidiendo con la apelación interpuesta por el Ministerio de Asuntos Extranjeros ante el secretario general de la ONU acerca de la manera en que Le Corbusier había sido alejado de la construcción del Palacio del East River. La maqueta 23A dio pie a muchas propuestas, tanto colectivas como individuales, pero únicamente sobre la forma de agrupar los tres tipos de edificios diseñados por Le Corbusier, a saber: el secretariado [rascacielos de 200 m (61') de altura], el edificio de Comisiones y Asambleas generales, y finalmente, el futuro anexo de «Special Agencies».

1947 Permanent Headquarters of the United Nations Organisation on the East River, New York

Project: Le Corbusier

Construction: Wallace K. Harrison

The day after his arrival in New York (25.I.1947), and following a decisive conversation with the American architect Harrison, an old friend, Le Corbusier started work on his scheme for the Headquarters building by the East River, and a design studio for the UNO project was set up on the 21st floor of the RKO Building. Le Corbusier's sketchbook, its first page dated January 26th, 1947, contains some sixty pages covered with drawings done up to the month of April, clearly revealing the evolution of the project for the UN building and its subsequent adaptation to the site set aside for it on the banks of the East River. This sketchbook is a genuine exposition of architectonic biology. The book disappeared in Boston in 1948, only to turn up again in 1950, and on being rediscovered was acquired by the Le Corbusier archives in Paris, making a valuable addition to this most important collection of drawings and documents from the architect's own hand; documents which will one day be regarded as a major contribution to the history of the evolution of modern architecture. Undoubtedly, the best course here is to reproduce the printed sheet which was distributed to the members of the UNO who attended a reception held in Le Corbusier's studio in December 1948, on the occasion of a United Nations session in the Palais de Chaillot in Paris, which coincided with the appeal lodged by French Foreign Ministry before the United Nations' Secretary General concerning the way in which Le Corbusier had been kept apart from the construction work on the site on the East River. The 23A model provoked a good deal of discussion, at both the collective and individual level, all of it focussed on the best way of grouping the three different types of building designed by Le Corbusier, namely: the Secretariat [a skyscraper 200 m (61') high]; the Commissions and General Assembly building; and the «Special Agencies» annexe envisaged for the future.

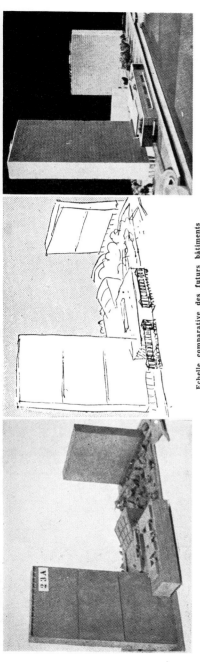

Mars 1947. La Maquette de L.-C, dite « 23-A »

Echelle comparative des futurs bâtiments et du Palais de la Concorde à Paris

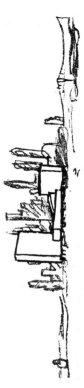

Maquette de Wallace Harrisson. Septembre 1947

Quittant New-York, les travaux en une symphonie magistrale les terminés. Juin 1947, M. BRUNFAUT, maîtres, vivants encore, de l'art mo-
Expert belge, déclarait à L.-C. « Nous derne, ses camarades de lutte et de
les Experts, vous avons laissé carte travail, secondé par des éléments
blanche pour que vous puissiez faire jeunes. (Les huit grands musées
triompher l'architecture moderne. d'U.S.A. : Boston, New-York, Phila-
Vous devez le savoir et vous devez delphie, Washington, Saint-Louis,
le reconnaître ». Cleveland, San-Francisco, Los-Ange-
les, ont organisé spontanément une

L.-C. avait apporté durant quatorze vaste exposition de l'œuvre de L.-C.:
mois, ses 40 années d'expérience, et architecture, urbanisme, peinture et
de création architecturale et artis- sculpture, patronnant un livre ras-
tique. Son désir était, dans la ré- semblant cette œuvre, et qu'ils ont
lisation, avec Wallace Harrisson. de eux-mêmes intitulé « NEW WORLD
cette œuvre immense de rassembler OF SPACE » (Nouveau monde d'es-

1935-1948

« Les gratte-ciel sont trop
petits et ils sont trop nom-
breux... » (1935). Voici. 1948.
dans Manhattan, la nouvelle
échelle introduite, sur l'East-River, par les plans du Quartier Général des Nations-Unies. « Soleil-espace-verdure »,
les conditions nouvelles de l'urbanisme moderne.

pace). L'exposition ouvre le 3 mars à Boston).

Une aventure analogue en certains points à celle de Genève 1927, semble se dessiner à New-York. Les Améri-cains ont agi pour avoir, à eux seuls, si-possible, la charge de la construc-tion du Quartier Général de l'U.N. La Commission du Siège, à l'unani-mité, l'Assemblée Générale d'automne 1947, par acclamation, ont accepté les plans (dont maquette ci-dessus), re-connaissant « la dignité, la beauté et l'efficacité indiscutables » des plans.

Pourtant, devant l'opinion mondia-le, cette attribution unitaire, dictée par la confiance de l'U.S.A. en son propre destin, et le désir de M Trygve-Lie d'aller vite, installent un dilemme pertinent entre la force et le droit, droit moral, élevé, morale du droit, morale simple. Les argu-ments juridiques, peuvent sembler substantiels ; mais se dresse en tra-vers la notion pure et simple de l'honnêteté fondamentale. Arguments de business ou valeur spirituelle ? That is the question ! **l'Honnête fondamentale.** Paris, février 1948.

1949 Casa del doctor Currutchet en La Plata, Argentina

Ocupa un terreno de urbanización tradicional, que da a una avenida y rodeado por paredes medianeras tanto al fondo como por ambos lados. En la parte delantera hay una hermosa avenida que corre por un verde parque. Lo primero fue asegurar una buena vista sobre el parque, por medio de la disposición general de la casa; se diseñó una terraza que daba lugar a un jardín colgante con el fin de poder disfrutar del cielo, la luz, el sol y la buena sombra que daba la plaza situada enfrente a la casa.

1 Vista de la fahada a la avenida. El «brise-soleil» forma el parapeto de la terraza
2 Plano de la planta baja; entresuelo, primero y segundo piso
3 La rampa del patio comunica las dos casas

1949 House for Dr Currutchet in La Plata, Argentina

The house occupies a site in a traditional urban development, overlooking a tree-lined street and flanked by party walls to the rear and to either side. The lovely avenue to the front runs through a landscaped park. The first task was to organise the general layout of the house so as to ensure a good view out over the park; this led to the design of a roof terrace, complete with garden, for the enjoyment of the sky, the light, the sun and the shade of the pleasant square opposite the house.

1 View of the facade on the tree-lined street
2 Plan of the ground floor, mezzanine, first and second floors
3 The ramp in the courtyard communicates the two houses

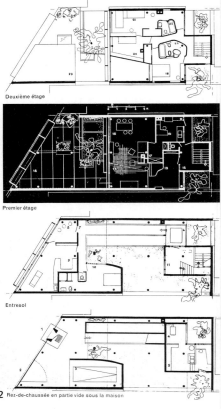

1

2 Rez-de-chaussée en partie vide sous la maison

1950 Le Corbusier y su cabaña de vacaciones en Cap Martin

El pueblo de Roquebrune con el promontorio de Cap Martin está situado entre las fronteras franco-italiana y la de Mónaco. La cabaña que Le Corbusier se hizo construir se halla cerca del mar, sobre el Cabo Martin. La señora Le Corbusier había nacido en esta región; los Jeanneret vivieron hasta el siglo XVI en parajes mediterráneos. Por ello se comprende que el arquitecto y su mujer se sintieran felices allí y que allí desearan ser enterrados.

1 Planta de la cabaña
2 La cabaña de 366/366 cm (11'/11') y de 226 cm (8') de altura
3 La señora Yvonne Le Corbusier-Gallis, fallecida en París el 5 de octubre de 1957.

1950 Le Corbusier and his holiday cabin at Cap Martin

The village of Roquebrune is on the promontory of Cap Martin, between the French-Italian border and the border with Monaco. The cabin which Le Corbusier had built here on Cap Martin is only a short distance from the sea. Madame Le Corbusier was born in this region, and the Jeanneret family had lived near the Mediterranean up until the 16th century, all of which makes it easy to see why the architect and his wife were so happy here, and chose to be buried here.

1 Plan of the cabin
2 View of the cabin, 366/366 in area and 226 cm (11'/11' in area and 8') high
3 Madame Yvonne Le Corbusier-Gallis, who died in Paris on October 5th, 1957

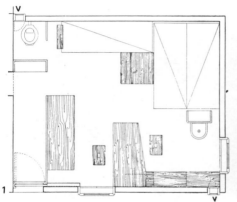

1

2

1 Choza al lado de la cabaña
2 1949: Le Corbusier pensaba construir así en su
  terreno junto al mar
3 Boceto del interior
4 Le Corbusier de vacaciones en Cap Martin en su
  choza de 2 × 3 m (10' × 7')

1 The hut next to the cabin
2 1949; Le Corbusier intended to develop his site
  by the sea along these lines
3 Sketch of the interior
4 Le Corbusier on holiday at Cap Martin, in his 2 ×
  3 m (7' × 10') hut

3

4

1 «Unité de camping», junto a la cabaña, construida en 1957 por Le Corbusier
2 Le Corbusier en Cap Martin
3 Le Corbusier abandona Cap Martin; junto a él, Robert Rebutato

1 «Unité de camping» alongside the cabin, constructed by Le Corbusier in 1957
2 Le Corbusier at Cap Martin
3 Le Corbusier leaving Cap Martin; to his left, Robert Rebutato

"Le vieil ~~Homme~~ et le mer"

~~Hemingway~~

Cap Martin
février 53

page 93

*" Je vous salue Marie, pleine de
grâce, le Seigneur est avec vous,
vous êtes bénie entre toutes les femmes et
Jésus, le fruit de vos entrailles,
est béni. Sainte Marie, Mère de Dieu,
priez pour nous, pauvres pécheurs, maintenant
et à l'heure de notre mort. Ainsi
soit-il. "*

1

1 Una cita de «El viejo y el
  mar» de Hemingway,
  transcrita por Le Corbusier
2 La tumba de Roquebrune, en
  Cap Martin

1 A passage from Hemingway's
  «The Old Man and the Sea»,
  copied out by Le Corbusier
2 The grave in Roquebrune on
  Cap Martin

2

Bóvedas catalanas

En los años 1916 (villa Poiret) y 1919 (casa Monol) ya habían aparecido las bóvedas. Este encantador motivo preocupó a menudo a Le Corbusier, quien lo utilizó siempre que pudo.

Catalan vaults

The years 1916 (the Poiret house) and 1919 (the «Monol» house) saw the first appearance of vaulted roofs in Le Corbusier's work, a charming feature which frequently caught the architect's attention, and which he used whenever he could.

1948 Sainte-Baume (La «Trouinade»), proyecto

Edouard Trouin, amigo de Le Corbusier, poseía en Sainte-Baume un millón de metros cuadrados y tenía la idea de construir algo en ellos.
El tema de Sainte-Baume consiste en una basílica excavada en la roca, dos hoteles y la «Cité Permanente» de vivienda.
1 Fachada sur de una casa familiar
2 Sección de una casa en la ladera de la colina
3 Primer piso

1948 Saint-Baume (the «Trouinade»), project

Edouard Trouin, a friend of Le Corbusier, had a million square metres of land in Saint-Baume, and wanted to build something on it. The Saint-Baume scheme consists of a basilica dug out of the rock, two hotels, and the housing of the «Cité Permanente».
1 South facade of a housing block
2 Sectional view through a house on the hillside
3 Plan of the first floor

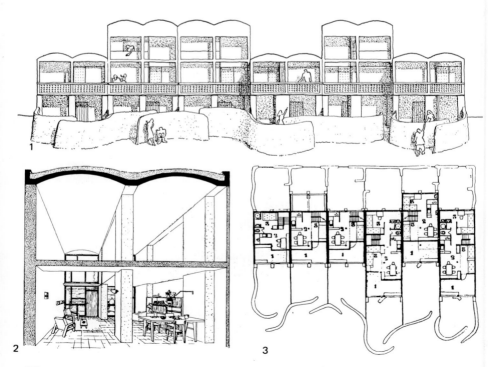

1

2   3

1949 «Roq» y «Rob» en Cap Martin

Estos estudios están dominados por la preocupación de composición de la arquitectura con un lugar tan particularmente elocuente de la Costa Azul.
El segundo estudio «Roq» (p. 102) representa un albergue colgante formado por alveolos habitables. El terreno «Rob», calificado como inutilizable, cae casi a pico sobre el mar. Pero podía «inventarse» un volumen habitable, partiendo precisamente de la abrupta pendiente. Una de las primeras investigaciones se hizo en chapa de aluminio plegada, techo abovedado recubierto de hormigón, tierra y plantas grasas.

1 Primer croquis de L-C (septiembre 1949) para el equipamiento del lugar
2 Alzado del primer estudio de «Roq»

1949 «Roq» and «Rob» at Cap Martin

These sketch designs are dominated by a concern with the composition of the architecture for this site on the Côte d'Azur, such an eloquently expressive location. The second of the «Roq» studies (p. 102) shows an apartment-hotel with its rooms built up the side of the hill like a honeycomb of cells. The «Rob» site had been classified as unusable, virtually a cliff-face falling steeply down to the sea, yet it proved possible to «invent» a habitable volume precisely on the basis of this almost sheer slope. One of the first studies was carried out using folded aluminium sheeting and a vaulted roof clad in concrete, covered with earth and sown with grass.

1 Le Corbusier's first sketches for the development of the site (September 1949)
2 Elevation of the first «Roq» sketch design

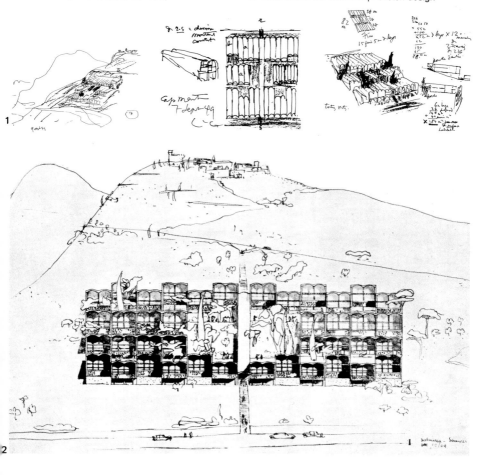

1 Esquema con el principio del tipo 226 × 226 ×
  226 (7 1/2' × 7 1/2' × 7 1/2'). Constitución del
  volumen habitable alveolar, por medio de un solo
  angular
2 Planta y sección de dos tipos diferentes
3 Perspectivas interiores de las casas

1 Schema using the patented Modulor principle
  based on a 226 × 226 × 226 cm (7 1/2' × 7 1/2'
  × 7 1/2') cube. The accomodation unit is
  composed from a single corner element
2 Plans and sections of two different types
3 Interior views of the houses

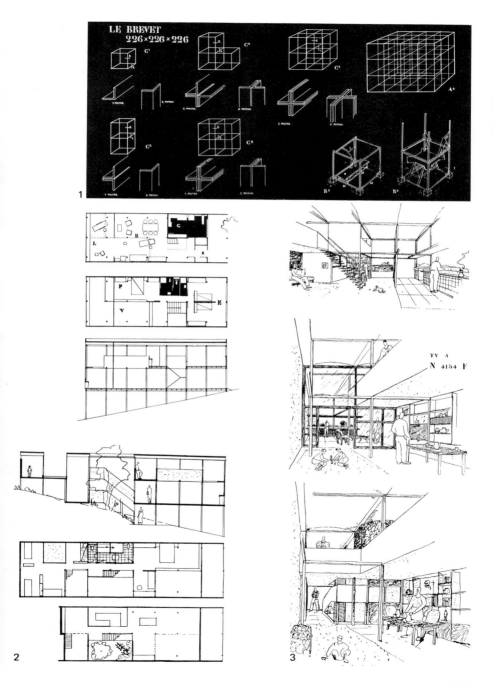

1

2

3

1950 Casa del profesor Fueter, junto al lago Constanza en Suiza, proyecto

El profesor Fueter, célebre matemático de la universidad de Zurich, fue, en 1930, un admirable impulsor de la construcción del pabellón suizo de la ciudad universitaria de París.

1 Sección AA de la entrada
2 Planta baja: sala común con chimenea, cocina, garage, cuarto de baño, dos habitaciones, despacho
3 Fachada norte

1950 House for Professor Fueter by Lake Constance, Switzerland, project

Professor Fueter, a celebrated mathematician from the University of Zurich, had been one of the driving forces behind the construction of the Swiss students' pavilion in the Cité Universitaire in Paris in 1930.

1 Section AA through the entrance
2 Ground floor plan: general-purpose space with fireplace, kitchen, garage, bathroom, two bedrooms, office
3 North facade

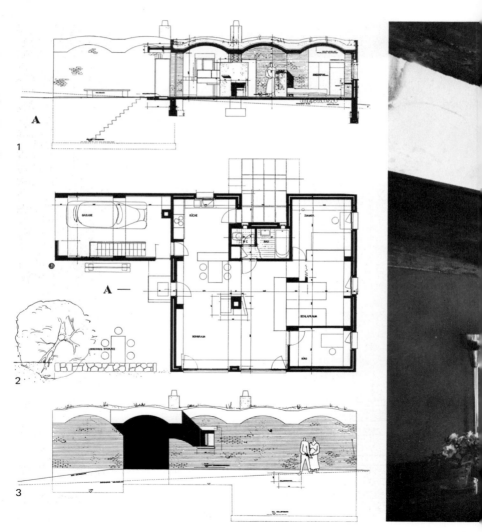

**1952 Casas Jaoul en Neuilly-sur-Seine
(81 bis, rue de Longchamp)**

Le Corbusier decidió emplear los materiales más
elementales: ladrillo, rasilla, bóvedas «a la cata-
lana» (hechas sin encofrado), con rasilla aparente,
cubiertas revestidas de hierba. Aplicación del Modulor mediante la elección de las tres dimensiones
decisivas: tramo de 3,6 m (12') y tramo de 2,2 m
(7'); altura de 2,2 m (7') bajo dinteles dominados por
una bóveda.

Salón de la planta baja de la casa A.

**1952 Jaoul houses in Neuilly-sur-Seine
(81b, rue de Longchamp)**

Le Corbusier decided to use the most basic,
elemental, materials in this scheme: brick, plain tiles,
Catalan-vaulted ceilings (without formwork), and
grass planted on the roof. The application of the
Modulor here is based on the choice of three critical
dimensions: intervals of 3,6 m (12') and 2,2 m (7')
and a height of 2,2 m (7') to the roof beams under
the arches of the Catalan vaults.

The living room on the ground floor of house A.

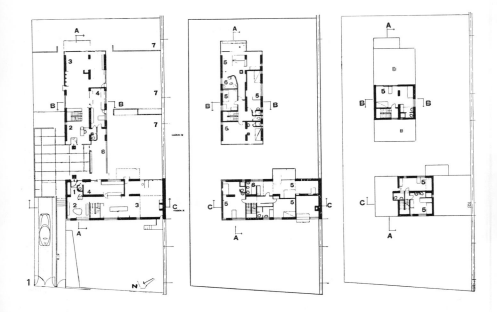

1 Los tres planos indican la localización de las dos casas en el terreno. La entrada es común. En el sótano se encuentran el garage y los dos patios.

2 Las bóvedas catalanas de rasilla aparente.

1 The three plans show the situation of the two houses on the site. The entrance is common to both houses. On the lower floor are two courtyards and a garage

2 The Catalan vaults of plain tile

1 Sección transversal de la
  bóveda
2 Fachada oeste de la casa
  B con la puerta de
  entrada

1 Transverse section of the
  roof vault
2 West facade of house B
  showing the front door

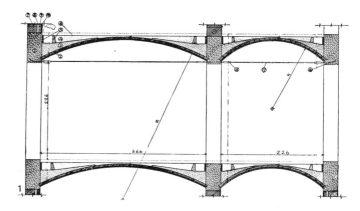

1955 Residencia de la Sra. Manorama Sarabhai, en Ahmedabad (India)

La casa Sarabhai está situada en función de los vientos dominantes (para conseguir una ventilación transversal) y las fachadas están provistas de «brise-soleil». Estructura: bóvedas catalanas de rasilla tomadas con yeso sin encofrado dobladas con ladrillo tomado con cemento. Estos semicilindros cargan sobre los muros a través de un dintel de hormigón visto. La composición consiste en perforar aberturas en los muros, paralelos, buscando un juego entre masas y huecos, pero un juego intensamente arquitectónico.

1955 House for Mrs Manorama Sarabhai in Ahmedabad (India)

The Sarabhai house is positioned in relation to two prevailing winds (in order to achieve through ventilation) and the facades have «brise-soleil» screens. The structure is based on plain-tiled Catalan vaults set in plaster, without formwork, backed with cement-mortered brick. These semi-circular vaults are supported by exposed concrete lintels resting on the walls. The composition consists of a sequence of parallel openings in the walls, in an intensely architectonic interplay of solid and void.

Vista de la veranda abierta hacia el parque.

View of the veranda opening onto the park

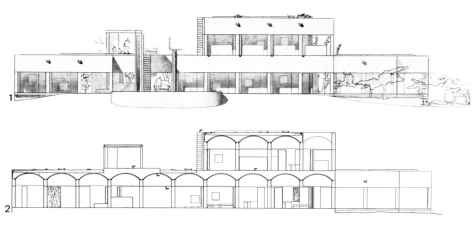

1 Vista de la fachada sur
2 Sección longitudinal
3 Ala de las dependencias de la Sra. Sarabhai

1 View of the south facade
2 Longitudinal section
3 Detail of Mrs Sarabhai's private wing

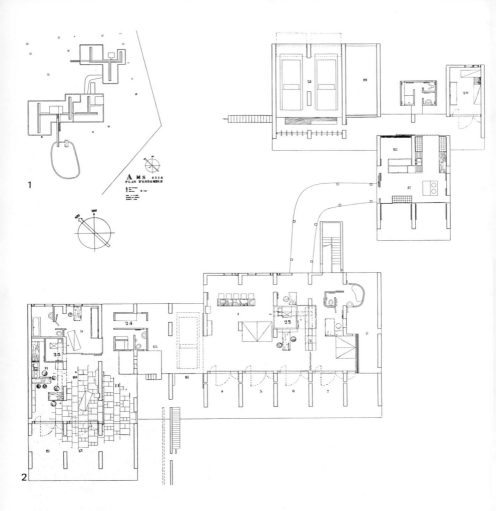

1 Plano de situación
2 Planta baja.
   Dependencias de la
   Sra. Sarabhai:
   1 Comedor
   2 Biblioteca
   3 Office
   4-8 Verandas
   Dependencias de su
   hijo:
   9 Dormitorio
   10 Estudio
   11 Mueble-cocina
   12, 13 Verandas

14-16 Verandas
       abiertas
Servicio:
17 Cocina
18 Despensa
19, 20 Dormitorios para
       el servicio
21 Garage
22, 23 Aire
       acondicionado
24 Vivienda del guarda

1 Site plan
2 Ground floor plan
   Mrs Sarabhai's private
   wing:
   1 Dining room
   2 Library
   3 Office
   4-8 Verandas
   Mrs. Sarabhai's son's
   wing:
   9 Bedroom
   10 Study
   11 Kitchen unit
   12-13 Verandas

14-16 Open verandas
Servants wing:
17 Kitchen
18 Kitchen store
19-20 Servants
       dormitories
21 Garage
22-23 Air-conditioning
24 Guard's quarters

3 Primer piso
   1 Dormitorio de la
     señora
   2 Dormitorio de su
     hijo
   3-6 Verandas
   7 Aire acondiciona-
     do
   8 Terraza abierta
   9 Terraza cubierta
   10 Canalización del
     agua
   11 Tobogán
   12 Terraza abierta
   13 Escalera de acce-
     so al terrado
4 Cubierta

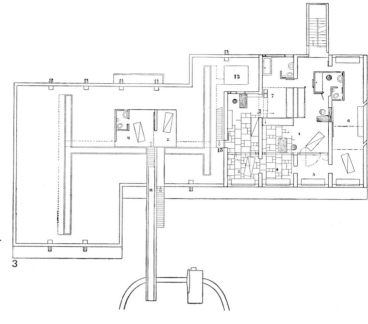

3

3 First floor plan
   1 Mistress'
     bedroom
   2 Son's bedroom
   3-6 Verandas
   7 Air-conditioning
   8 Open terrace
   9 Roofed terrace
   10 Water channels
   11 Water slide
   12 Open terrace
   13 Stairs leading to
     the roof
4 View of the roof

4

1956 Villa Shodhan en Ahmedabad (India)

Los planos revelan una notoria simplicidad de estructura, pero por el contrario, una asombrosa plasticidad en la situación de las dependencias en su forma y dimensiones, a la sombra de los «brise-soleil» de la fachada y de la cubierta-parasol, y, además, en contacto con los jardines colgantes barridos por una apropiada orquestación de corrientes de aire. Este diseño recuerda el de la villa Savoie en Poissy (1929-30), pero adaptándose aquí a la moda tropical e india.

1956 Shodhan house in Ahmedabad (India)

The plans reveal the notoriously simple structure, yet they also show the striking plasticity of the house's layout, in form and dimensions, in the shade of the «brise-soleil» sun-screens and the parasol roof, in direct contact, moreover, with the terrace-gardens swept by skilfully conducted air currents. The design is reminiscent of the Savoie house in Poissy (1929-30), adapted here to its tropical setting and the Indian context.

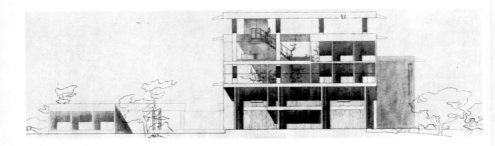

1—Planta baja, nivel 1
 1 Entrada
 2 Hall de entrada y sala de espera
 3 Vestuario
 4 Lavabos
 5 Rampa
 6 Escalera del sótano
 7 Sala de estar
 8 Comedor
 9 Veranda
10 Office
11 Cocina
12 Despensa
13 Habitaciones del servicio
14 Lavabos

2—Nivel 2
 1 Habitación de huéspedes
 2 Boudoir y lavabos
 3 Biblioteca
 4 Hueco
 5 Rampa

3—Nivel 3
 1 Dormitorio
 2 Lavabos
 3 Dormitorios
 4 Terraza
 5 Hueco
 6 Galería
 7 Rampa

4—Nivel 4
 1 Terraza
 2 Hueco
 3 Galería

5—Nivel 5
 1 Terraza
 2 Depósito de agua
 3 Hueco

1—Ground floor
 1 Entrance
 2 Entrance hall and waiting room
 3 Cloakroom
 4 Bathrooms
 5 Ramp
 6 Stairs to the basement
 7 Living room
 8 Dining room
 9 Veranda
10 Office
11 Kitchen
12 Kitchen store
13 Servants quarters
14 Bathrooms

2—2nd level
 1 Guests's room
 2 Dressing room and bathrooms
 3 Library
 4 Void
 5 Ramp

3—3rd level
 1 Bedroom
 2 Bathrooms
 3 Bedrooms
 4 Terrace
 5 Void
 6 Gallery
 7 Ramp

4—4th level
 1 Terrace
 2 Void
 3 Gallery

5—5th level
 1 Terrace
 2 Water tank
 3 Void

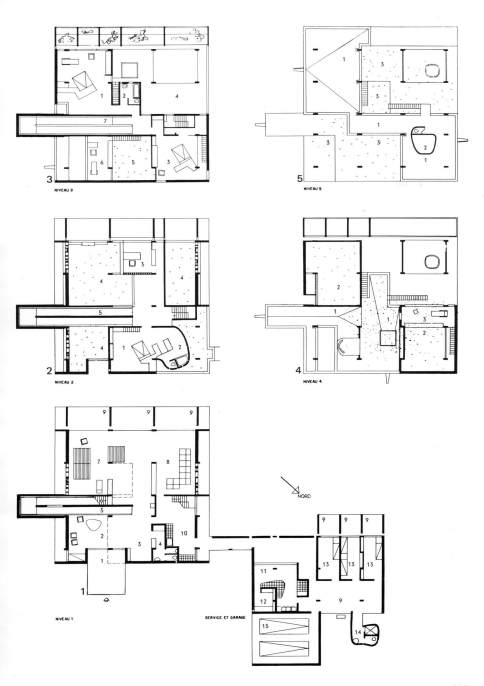

NIVEAU 3

NIVEAU 5

NIVEAU 2

NIVEAU 4

NORD

NIVEAU 1

SERVICE ET GARAGE

Villa Shodhan

Shodhan house

114

1 Jardín colgante y
   cubierta-parasol
2 Fachada sudeste
3 Sala de estar en la
   planta baja. A la
   derecha, una lámpara
   de proyector flexible

1 View of the terrace-
   garden and the parasol
   roof
2 South-east facade
3 The living room on the
   ground floor. On the
   right, an adjustable
   spotlight

1954 Palacio de la Asociación de Hiladores de Ahmedabad (India)

Casa representativa de uno de los grupos de grandes hiladores de algodón de la India.

El despacho central contiene los locales utilizados para la administración central y para la asamblea general. Todos los locales tienen un carácter eminentemente representativo. La situación del edificio en un jardín dominando el río, era una invitación a disponer, en los distintos niveles del palacio, aberturas que permitieran contemplar el quehacer cotidiano, el pintoresco espectáculo de los artesanos que lavaban y ponían a secar el algodón sobre la arena, junto a las garzas, las vacas, los búfalos y los burros metidos en el agua para protegerse del calor, así como servir de marco para las fiestas que por la tarde y noche se celebran en la sala de la Asamblea general o en la terraza. El edificio está orientado según los vientos dominantes. Las fachadas este y oeste tienen sus «brise-soleil» calculados de acuerdo con la latitud de Ahmedabad y el recorrido solar, mientras que las fachadas sur y norte son ciegas.

1 Entrada de vehículos
2 Entrada de peatones
3 Entrada de servicio
4 Servicio
5 Aparcamiento provisional
6 Aparcamiento
7 Entrada principal
8 Restaurante
9 Terraza-jardín
10, 11 Jardín

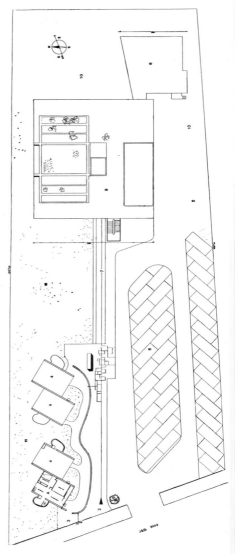

1954 Textile Industry Club in Ahmedabad (India)

The building was designed to accomodate the offices of one of India's leading cotton-spinning groups. The main block houses the central administration offices and the assembly hall. All of the spaces are eminently representative in character. The building's location in the midst of a garden overlooking the river amounted to an invitation to include openings on the different levels from which to contemplate the daily life and activities of the cotton workers below, washing the cloth and drying it on the sand alongside the cranes, cows, buffalo and donkeys standing half-submerged in the water to keep cool; these openings also serve to frame the evening receptions and parties held in the assembly hall or on the terrace. The building is oriented towards the prevailing winds, and the east and west facades have «brise-soleil» sunscreens calculated for the position of the sun at Ahmedabad's lattitude, while the north and south facades are blind.

1 Vehicle entrance
2 Pedestrian entrance
3 Service entrance
4 Servants' quarters
5 Temporary car park
6 Car park
7 Main entrance
8 Restaurant
9 Terrace-garden
10, 11 Garden

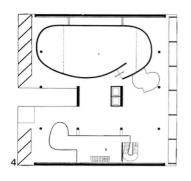

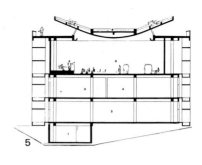

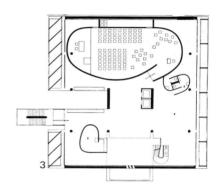

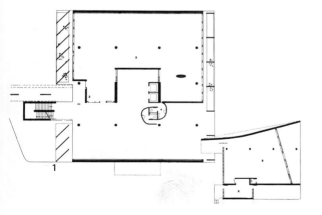

1 Planta baja
2 Plano del segundo piso
3 Plano del primer piso
4 Espacio abierto al
  segundo piso
5 Sección este-oeste

1 Ground floor plan
2 Second floor plan
3 First floor plan
4 The open space on the
  second floor
5 East-west section

1 «Brise-soleil» de la fachada este
2 Fachada oeste con «brise-soleil». Una rampa de acceso para peatones une el nivel de la Dirección con el aparcamiento
3 Situación del edificio en un jardín desde el que se domina el río

1 Detail of the «brise-soleil» on the east facade
2 The west facade with the «brise-soleil». A pedestrian access ramp connects the offices with the car park
3 View of the building in its garden setting overlooking the river

3

1950 Capilla de Notre-Dame-du-Haut, en Ronchamp

La orientación de la capilla es tradicional, con el altar al este. La nave [13 m (43') × 25 m (82')] tiene cabida para 200 personas. Existen tres pequeñas capillas completamente aisladas de la nave, que permiten celebrar oficios simultáneos. Estas tres capillas poseen una luz natural muy especial: están provistas de semicúpulas a 15 m (49') y 22 m (72') de altura que captan la luz desde tres lados.

1 Perspectiva axonométrica vista desde el norte
2 Croquis hecho en 1910 en Tívoli en la Villa Adriana
3 Vista de la fachada este con el coro exterior

1950 Notre-Dame-du-Haut chapel in Ronchamp

The chapel is oriented in the traditional way, with the altar to the east. The nave [13 m (43') × 25 m (82')] can accomodate 200 worshippers. There are also three small side chapels, completely isolated from the nave, where services can be held simultaneously and separately. There is a very special quality to the natural light in these three chapels; this comes from the half-domes, 15 m (49') and 22 m (72') high, which receive light from three directions.

1 Axonometric perspective from the north
2 Le Corbusier's 1910 sketch of the Villa Adriana in Tivoli
3 View of the east facade with the exterior choir

Plano de conjunto

Site plan of the complex

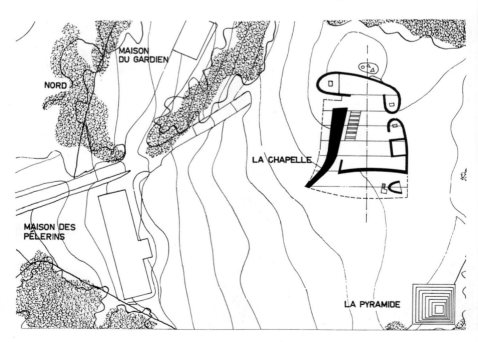

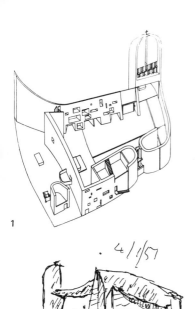

1

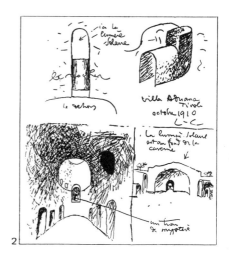

la lumière
solaire

la rocher

le dehors

villa Adriana
Tivoli
octobre 1910
L-C

La lumière Solaire
est au fond de la
caverne

un trou
de mystère

2

4/1/57

3

1 Vista interior de la
fachada sur
2 Fachada oeste con la
gárgola
3 El suelo de la capilla
desciende con el suelo
de la colina
4 Fachada norte con la
escalera que conduce
la sacristía

1 View of the interior of
south facade
2 View of the west façad
with the gargoyle
3 The floor of the chapel
follows the natural slop
of the hillside
4 View of the north façac
with the steps leading
up to the sacristy

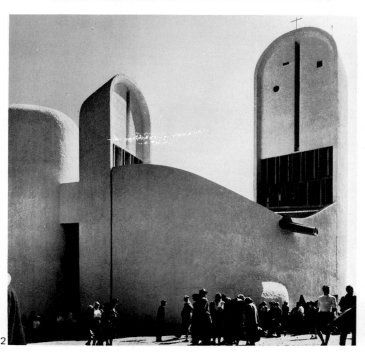

3

1957 Convento Sainte-Marie-de-la-Tourette en Eveux-sur-Arbresle

«Alojar en el silencio a hombres piadosos y estudiosos, y construirles una iglesia», tal era el programa que se propuso a Le Corbusier en 1952, impulsado por el padre Le Couturier, del Capítulo Provincial de los Dominicos de Lyon. El conjunto monástico debía componerse de iglesia, claustro, sala capitular, aulas, biblioteca, refectorio, cocina y un centenar de celdas.

1 El convento a vista de pájaro

1957 Sainte-Marie-de-la-Tourette monastery in Eveux-sur-Arbresle

«To house pious, studious men in silence, and construct a church for them»; this was the programme which Le Corbusier set for himself in 1952, on the prompting of Le Couturier, the Father Provincial of the Dominican order in Lyon. The brief for the monastery complex included a church, cloister, chapterhouse, classrooms, library, refectory, kitchen, and one hundred cells.

1 Aerial view of the monastery

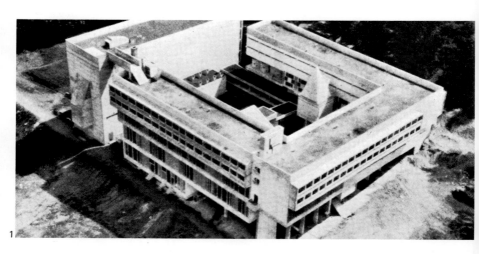

1

2 Plano de la situación	5 Planta tercera	2 Site plan	5 Plan of the third floor
1 Convento nuevo	1 Locutorio	1 The new	1 Parlour
2 Antigua casa	2 Portería	monastery	2 Porter's office
	3 Sala de	2 The old building	3 Lay brothers'
3 Sección	hermanos legos		room
	4 Oratorio	3 Section	4 Oratory
4 Planta quinta	5 Sala de		5 Novice's room
1 Celda de	hermanos	4 Plan of the fifth floor	7 Reading room
enfermos	novicios	1 Invalid's cell	8 Library
2 Enfermería	7 Sala de lectura	2 Infirmary	9 Classroom A
3 Celda de	8 Biblioteca	3 Guest's cell	10 Student priests'
huéspedes	9 Aula A	4 Cells for the	room
4 Celdas de los	10 Sala de curas	teaching fathers	11 Classroom B
padres profesores	estudiantes	5 Substitute	12 Classroom C
5 Celda del padre	11 Aula B	teaching father's	13 Common room
maestro de	12 Aula C	cell	14 Classroom D
estudiante	13 Sala de	6 Novice priest's	18 Vestibule stairs
suplente	comunidad	cells	21 Large corridor
6 Celda de curas	14 Aula D	8 Lay brothers' cell	22 Small corridor
estudiantes	18 Escalera del atrio	10-12 Services	23 Vestibule
8 Celdas de los	21 Paseo grande	25 Church	24 Services
hermanos legos	22 Paseo pequeño		25 Church
10-12 Sanitarios	23 Atrio		
25 Iglesia	24 Sanitarios		
	25 Iglesia		

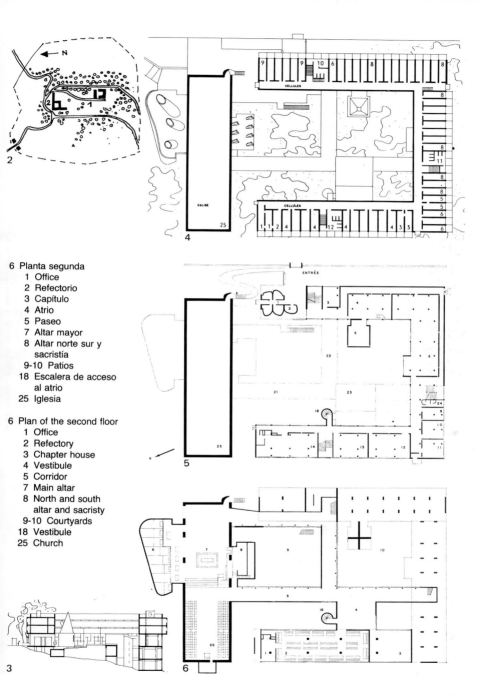

6 Planta segunda
   1 Office
   2 Refectorio
   3 Capítulo
   4 Atrio
   5 Paseo
   7 Altar mayor
   8 Altar norte sur y
      sacristía
   9-10 Patios
  18 Escalera de acceso
      al atrio
  25 Iglesia

6 Plan of the second floor
   1 Office
   2 Refectory
   3 Chapter house
   4 Vestibule
   5 Corridor
   7 Main altar
   8 North and south
      altar and sacristy
   9-10 Courtyards
  18 Vestibule
  25 Church

1 Capilla lateral inferior
  que sigue la inclinación
  del terreno
2 Una celda
3 Fachada oeste; a la
  izquierda, la iglesia
4 Refectorio

1 Side chapel following
  the natural slope of the
  site
2 Interior of a cell
3 View of the west
  facade; the church is to
  the left
4 Refectory

La Tourette

1957 Pabellón Philips en la Exposición Universal de Bruselas

El poema electrónico de Le Corbusier es la primera manifestación de un arte nuevo: «Los Juegos Electrónicos», síntesis ilimitada del color, la imagen, la musica, la palabra, el ritmo.

1957 Philips pavilion for the Universal Exhibition in Brussels

Le Corbusier's electronic poem is the first manifestation of a new art-form: the Electronic Game, a limitless synthesis of colour, image, music, language, rhythm.

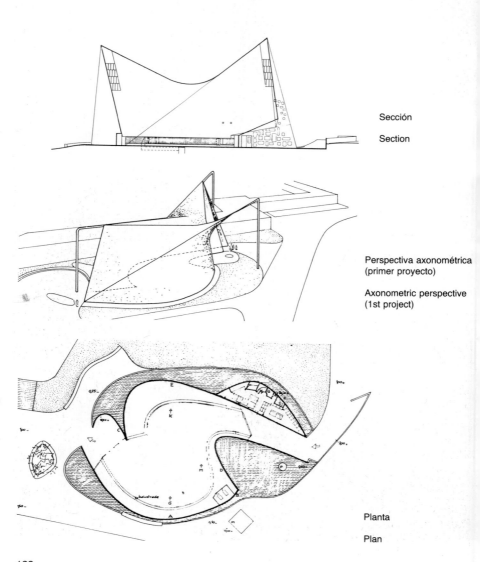

Sección

Section

Perspectiva axonométrica (primer proyecto)

Axonometric perspective (1st project)

Planta

Plan

Salida   View of the exit

1957 Casa de Brasil en la Ciudad Universitaria de París (boulevard Jourdan)

En colaboración con Lucio Costa.

El primer proyecto proviene de Lucio Costa, arquitecto de Río de Janeiro y el estudio Le Corbusier realizó a continuación los planos de ejecución. Las habitaciones de los estudiantes de uno y otro sexo están situadas al oeste, provistas de «brise-soleil». Al oeste de este edificio se encuentra el Pabellón suizo que fue construido en 1930 por Le Corbusier.

1957 Brazilian students' building on the Cité Universitaire campus, Paris (Boulevard Jourdan)

In collaboration with Lucio Costa

The first version of the project was the work of Lucio Costa, an architect from Rio de Janeiro, and Le Corbusier's studio subsequently prepared the construction drawings. Both male and female student's rooms are on the west side of the building, equipped with «brise-soleil» screens. A little to the west of this building is the Swiss students' pavilion constructed by Le Corbusier in 1930.

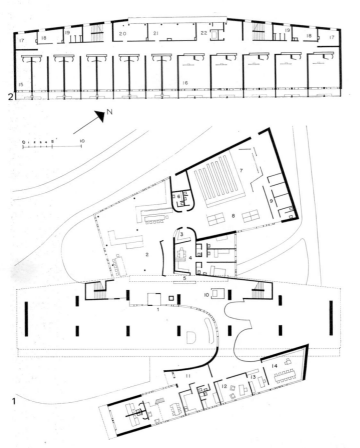

1 Entrada
2 Hall
3 Cafetería
4 Piso del portero
5 Portería
6 Lavabos
7 Espectáculos
8 Juegos
9 Vestuario
10 Ascensor
11 Vivienda del director
12 Despacho del director
13 Secretariado
14 Biblioteca
15 Habitación de estudiante
16 Habitación doble de estudiantes
17 Sala de música
18 Cocina colectiva
19 Lavabo
20 Taller
21 Sala de estudio
22 Ascensor

1 Entrance	7 Theatre	13 Secretarial office	19 Toilets
2 Hall	8 Games room	14 Library	20 Workroom
3 Cafeteria	9 Cloakroom	15 One-bedded room	21 Study room
4 Porter's residence	10 Lift	16 Twin-bedded room	22 Lift
5 Gatehouse	11 Director's residence	17 Music room	
6 Toilets	12 Director's office	18 Communal kitchen	

130

Patio de entrada bajo el edificio   The entrance courtyard underneath the building

Casa de Brasil

Brazilian students'
building

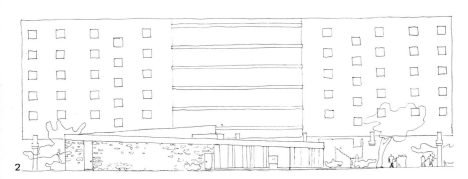

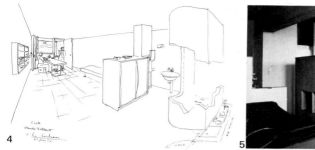

1 Hall en la planta baja
2 Fachada este
3 Fachada este con sala de espectáculos y hall
4 Vista de una habitación de estudiante
5 Detalle de una habitación de estudiante
6 Fachada oeste
7 Fachada oeste con el pabellón del director

1 Entrance hall on the ground floor
2 Sketch of the east facade
3 View of the east facade with the theatre and hall
4 Sketch of the interior of a student's room
5 Detail of a student's room
6 Sketch of the west facade
7 View of the west facade with the Director's pavilion

1961 Centro cultural en Orsay-París, proyecto

Se trata, en efecto, de un centro cultural (congresos, exposiciones, música, espectáculos, conferencias) provisto de todos los equipamientos modernos de circulación, de acústica, de aire acondicionado y ligado perfectamente a toda la ciudad de París, por el agua, los metros, las calles y comunicado por el ferrocarril directo al aeropuerto de Orly, convertido en el desembarcadero aéreo de París.

1961 Cultural centre at Gare d'Orsay, Paris, project

The scheme for this cultural centre (for conferences, exhibitions, music, theatre, lectures) includes a full range of modern facilities and systems for internal circulation, acoustics and air-conditioning, as well as optimum transport connections with every part of Paris, by river, metro and road, and a direct rail link with Orly airport, the real gateway to the city.

1 Sección transversal
  1 Entrada al hotel por el segundo piso
  2 Entrada para congresistas
  3 Forum
  4 Congresos
  5 Entrada al hotel por el cuarto piso
  6 Hall del hotel
  7 Jardín
  8 Habitaciones
  9 Restaurante
  10 Galerías técnicas, maquinaria, aire acondicionado
  11 Lavanderías
  12 Planchador

2 Planta tipo del hotel, con vista de cada piso al jardín colgante

3 Plano de la planta quinta
  1 Hall
  2 Salón de belleza

3 Peluquería
4 Despacho del médico
5 Teléfono, radio, televisión
6 Despacho de alquiler de las salas
7 Recepción de la administración
8 Despachos
9 Hueco del hall
10 Enfermería
Congresos
11 Hueco sobre el forum
12 Salas de congresos
13 Despachos
14/15 Hueco en la sala pequeña
16 Galería despacho y salas de proyecciones
17 Almacén de mobiliario
Conjunto cultural
18 Teatrillo
19 Planta de la galería de arte
20 Instalaciones aire acondicionado

1 Transverse section
  1 2nd floor entrance to the hotel
  2 Conference delegates' entrance
  3 Forum
  4 Conference suites
  5 4th floor entrance to the hotel
  6 Hotel lobby
  7 Garden
  8 Bedrooms
  9 Restaurants
  10 Service galleries, machine rooms, air conditioning
  11 Laundries
  12 Cleaning and pressing

2 Typical floor plan of the hotel, showing the view from each floor of the terrace-garden

3 Plan of the 5th floor
  1 Hall

2 Beauty salon
3 Hairdresser's
4 Medical room
5 Telephone, radio, television
6 Conference suite booking office
7 Reception
8 Offices
9 Void over the lobby
10 Medical room
Conference area
11 Void over the forum
12 Conference suites
13 Offices
14-15 Void over the small hall
16 Gallery office and projection rooms
17 Furniture store
Cultural complex
18 Small theatre
19 Floor of the art gallery
20 Air-conditioning services

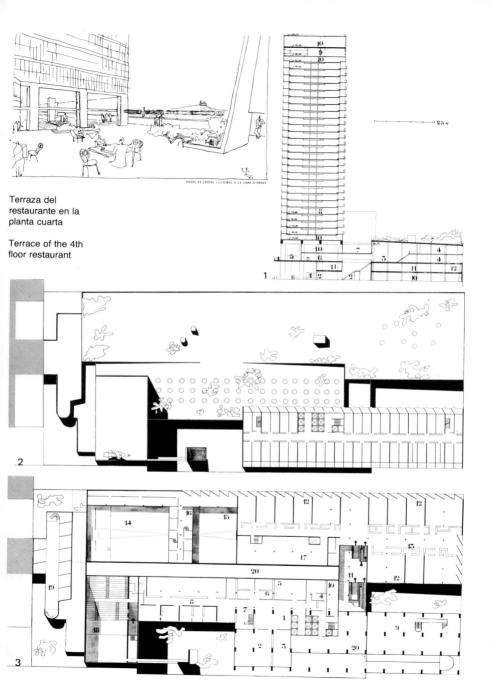

Terraza del
restaurante en la
planta cuarta

Terrace of the 4th
floor restaurant

HOTEL ET CENTRE CULTUREL A LA GARE D'ORSAY

1961 Centro de Artes visuales, Cambridge, Mass., USA

El Centro de Artes visuales de la Universidad de Harvard se encuentra situado en un terreno muy exiguo, entre edificios de estilo georgiano.

La realización del proyecto estaba asegurada por Josep Lluís Sert y sus socios de Cambridge, Massachusetts. El programa era una creación completa a partir de datos nuevos: concebir un lugar donde los alumnos de la Universidad pudieran, al atravesar este camino esencial, ver desde el exterior y, eventualmente, entrar y trabajar; arte en tres dimensiones, maquetas, esculturas, etc.

1 El Centro de Artes visuales de la Universidad de Harvard es la primera realización de L-C en Estados Unidos

2 Plano de la segunda planta con la rampa

3 De izquierda a derecha: planta baja, primera planta, segunda planta, tercera planta, terraza-jardín

4 La rampa abierta conduce a la segunda planta, vista del este.

1961 Visual arts centre in Cambridge, Mass. (USA)

The Harvard University Visual Arts Centre occupies an extremely demanding site, flanked as it is by buildings in the Georgian style. Josep Lluís Sert and his colleagues in Cambridge, Massachusetts, were able to assure Le Corbusier that the project would be built. The programme was a highly creative innovation based on new premises: the conception of a place where the university students, as they made their way along the vitally important access route, would first see the exterior, then enter the space and begin to engage with the three-dimensional works of art, the sculptures, models and so on.

1 The University of Harvard Visual Arts Center was the first of Le Corbusier's schemes to be built in the United States

2 Plan of the second floor with ramp

3 From left to right: ground floor, first floor, second floor, third floor, roof garden

4 View from the east of the open ramp leading up to the second floor

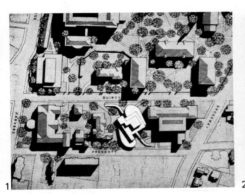
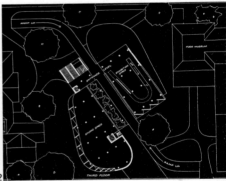

1 Hall de entrada
2 Recepción
3 Sala de conferencias
4 Taller
5 Auditorio
6 Despacho del director
7 Rampa
8 Sala de exposición
9 Despacho
10 Terraza-jardín

1 Entrance hall
2 Reception
3 Lecture room
4 Workshop
5 Auditorium
6 Director's office

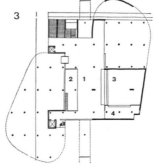

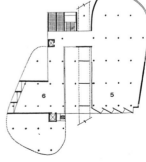

7 Ramp
8 Exhibition gallery

9 Office
10 Roof garden

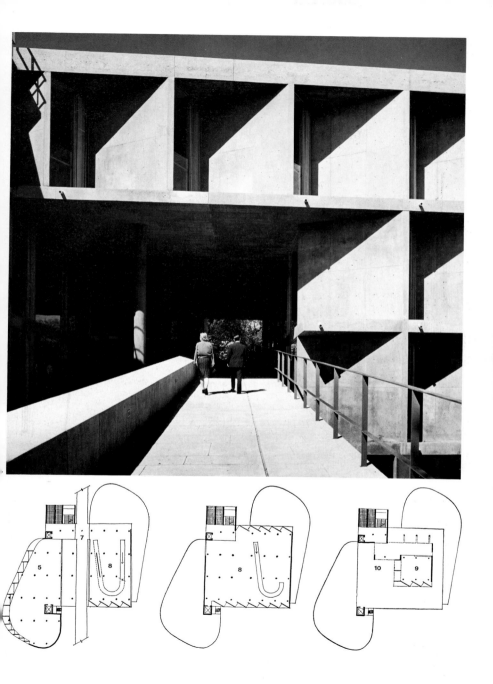

1 Vista noroeste con los ventanales del auditorio de la primera planta
2 Fachada oeste

1 View from the north-west showing the great windows of the auditorium on the first floor
2 View of the west facade

3

3 «Brise-soleil»
4 Auditorio orientado al sur, los «brise-soleil» regulan la luz

3 Detail of the «brise-soleil» sun screens
4 View from the auditorium looking south; the light is regulated by the «brise-soleil»

1962 Palacio de exposiciones en Estocolmo, proyecto

Theodor Ahrenberg deseaba un pabellón junto al mar, cerca de Estocolmo, para exponer permanentemente obras de Picasso, Matisse y Le Corbusier. Hubiera existido una sala para cada uno de los artistas cuya moderna disposición habría puesto de relieve el valor de las obras.

1 Sección transversal

1962 Exhibition hall in Stockholm, project

Theodor Ahrenberg wanted a pavilion by the sea, near Stockholm, to house a permanent exhibition of work by Picasso, Matisse and Le Corbusier. Each of the three was to have his own room, and the modern layout would have underlined the artistic qualities of the work on show.

1 Transverse section

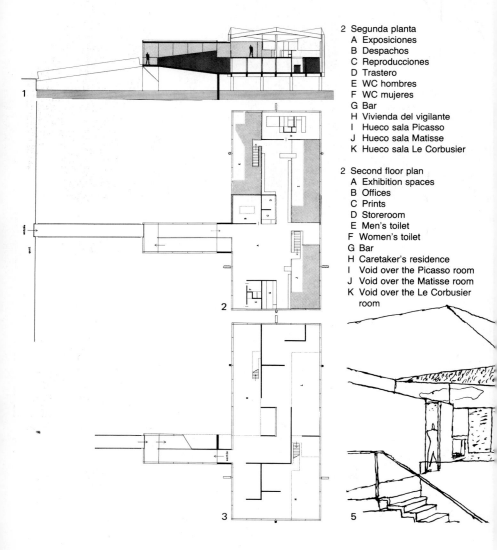

2 Segunda planta
   A Exposiciones
   B Despachos
   C Reproducciones
   D Trastero
   E WC hombres
   F WC mujeres
   G Bar
   H Vivienda del vigilante
   I Hueco sala Picasso
   J Hueco sala Matisse
   K Hueco sala Le Corbusier

2 Second floor plan
   A Exhibition spaces
   B Offices
   C Prints
   D Storeroom
   E Men's toilet
   F Women's toilet
   G Bar
   H Caretaker's residence
   I Void over the Picasso room
   J Void over the Matisse room
   K Void over the Le Corbusier room

4

3 Primera planta
2 Fragmento del Pabellón de exposiciones en Zurich (ver pp. 142-145) correspondiente al pabellón de Estocolmo
5 Vista de la primera planta

3 First floor plan
4 Detail of the exhibition centre in Zurich (see pp. 142-145) corresponding to the Stockholm project
5 Sketch of the first floor

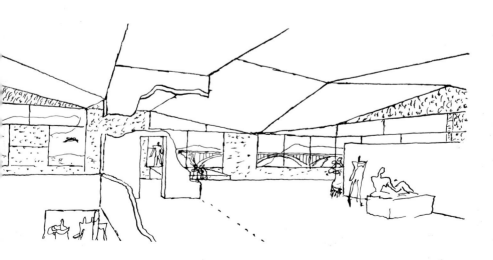

1963 Casa del Hombre en Zurich (Centro Le Corbusier) (Höschgasse 8)

Lo que no consiguió Ahrenberg en Estocolmo, Heidi Weber lo realizó en Zurich: la ciudad cedió espontáneamente un magnífico terreno en un parque para construir la Casa del Hombre. Los planos estaban a punto cuando murió Le Corbusier. La dirección de la obra fue llevada a cabo por dos de sus colaboradores, Taves y Rebutato, de París. El pabellón se compone de dos estructuras de hierro independientes una de otra, de una cubierta a modo de parasol y del cuerpo principal del edificio basado en las proporciones del Modulor [226/226/226 cm (7 1/2'×7 1/2'×7 1/2')] que permite una multiplicidad de disposiciones. Las fachadas son paneles de cerámica esmaltada en color, los marcos de las ventanas son de hierro.

1963 The House of Man in Zurich (Le Corbusier Centre) (Höschgasse 8)

What Ahrenberg was unable to do in Stockholm, Heidi Weber accomplished in Zurich: the city authorities readily ceded a magnificent site in a park for the construction of the House of Man. The plans were just completed when Le Corbusier died. Supervision of the work was carried out by two architects who had worked in close collaboration with him, Taves and Rebutato, from Paris. The pavilion is composed of two independent steel structures, with a single parasol roof extending over both, and the body of the building is based on Modulor proportions [226/226/226 cm (7 1/2' × 7 1/2' × 7 1/2')] allowing for a great deal of flexibility in the layout. The facades consist of glazed ceramic panels of the same colour as the steel window frames.

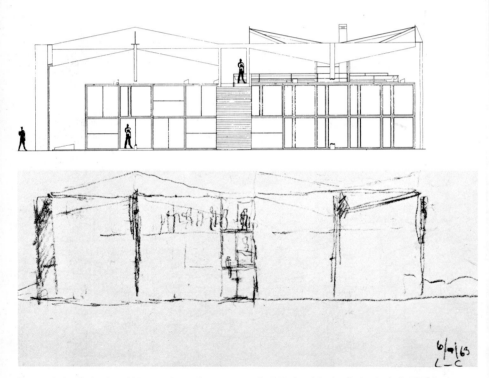

Boceto de Le Corbusier 1963, que plasma la solución definitiva; arrriba, a igual escala, el plano de realización (fachada norte).

A 1963 sketch by Le Corbusier indicating the definitive solution; above, a working drawing of the north facade

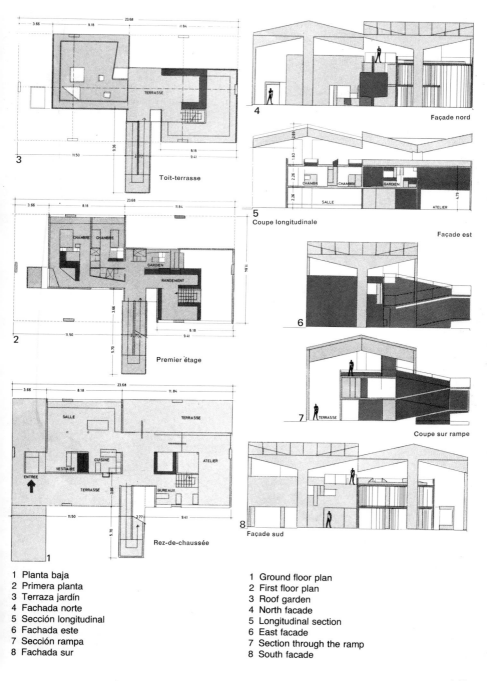

Toit-terrasse

3

Premier étage

2

Rez-de-chaussée

1

4   Façade nord

5   Coupe longitudinale

Façade est

6

7   TERRASSE

Coupe sur rampe

8   Façade sud

1 Planta baja
2 Primera planta
3 Terraza jardín
4 Fachada norte
5 Sección longitudinal
6 Fachada este
7 Sección rampa
8 Fachada sur

1 Ground floor plan
2 First floor plan
3 Roof garden
4 North facade
5 Longitudinal section
6 East facade
7 Section through the ramp
8 South facade

143

Fachada este

View of the east facade

Casa del Hombre

The House of Man

Fachada norte

North facade

Terraza-jardín y el juego con la combinación de las formas del techo.

View of the roof garden showing the interplay of the different roof forms

Fachada sudoeste

View of the south-west facade

145

1963 Centro de cálculo electrónico Olivetti en Rho-Milán, proyecto

El terreno del Centro de cálculo electrónico Olivetti se halla en las cercanías de la gran autopista Milán-Turín. Le Corbusier presentó el primer estudio en junio de 1962 en forma de cuaderno, según el sistema de la «Grille CIAM». El segundo proyecto fue elaborado a fines de octubre, ya en la versión que aquí se publica. La realización de este gigantesco conjunto se previó en tres etapas. Primera etapa: la entrada principal con restaurantes, la biblioteca y otras instalaciones comunes; seguidamente, el primer cuadrado de talleres, de 105 m (351') × 105 m (351'). Sobre este cuadrado se encuentran 10 pisos de oficinas de investigación. Los talleres de montaje se hallan en la planta baja, pero los accesos están al nivel de la cubierta de los talleres. Los empleados acceden por una rampa a los corredores que conducen a los vestuarios dispuestos en abanico y a las duchas. Unas escaleras conducen a los talleres de la planta baja.

1963 Olivetti electronic calculation centre in Rho, Milan, project

The site for the electronic calculation centre is close to the main Milan-Turin motorway. Le Corbusier presented his first scheme in June 1962 in the form of a sketchbook, using the «Grille CIAM» grid system. The second project was worked out by the end of October, now in its final form as published. Construction of this gigantic complex was planned to take place in three stages. The first stage included the main entrance, with restaurants, library and other communal facilities; this was to be followed by the first set of workshops, measuring 105 m (350') × 105 m (350') with a 10-storey research and administrative building rising above it. The assembly area is on the ground floor, but access to the building is across the roof of the single-storey workshops. The employees walk up a ramp to reach the cloakrooms and changing rooms, laid out in a fan-like arrangement, and the showers, before descending the stairs to the work area on the ground floor.

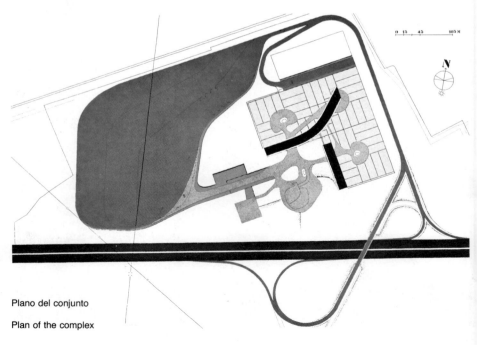

Plano del conjunto

Plan of the complex

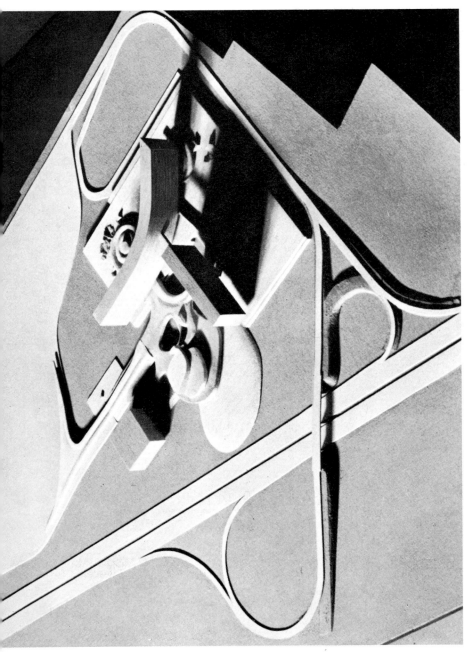

La maqueta vista desde el oeste   View of the model from the west

Centro Olivetti

The Olivetti Centre

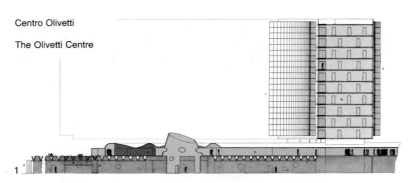

1	Sección sur-norte de los talleres de montaje y de los despachos	1 South-north section of the assembly workshops and the office block
2	Planta 1	2 First floor plan
	1 Entrada general	1 Main entrance
	2 Entrada al museo electrónico	2 Entrance to the electronics museum
	3 Llegada de camiones	3 Goods vehicle access
	4 Talleres de montaje	4 Assembly workshops
	5 Acceso a los lavabos y vestuarios	5 Access to washrooms and changing rooms
	6 Hacia servicios y restaurante	6 Services and restaurant
	7 Restaurante	7 Restaurant
	8 Cocina	8 Kitchen
	9 Sala de máquinas	9 Machine room
	10 Edificio existente	10 Existing building

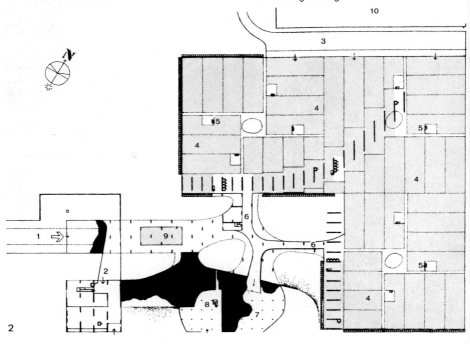

Sección detalle de los talleres de montaje   Detail section of the assembly workshops

La última propuesta (maqueta 1965)   View of the model of the definitive scheme (1965)

1964 Palacio de Congresos en Estrasburgo, proyecto

«El alcalde Pfimlin y los impecables servicios de la ciudad habían redactado un programa perfecto. En unas condiciones tan favorables, el arquitecto puede decir que trabaja como si trabajara para la Providencia; con total escrúpulo, integridad, lealtad. Entonces es cuando se ve que la arquitectura pertenece al terreno de la pasión...» El cuadrilátero con las rampas monumentales que acompañan la fachada norte debía ser tratado en hormigón armado sin encofrado.

1 Sección sur-norte
2 Plano de situación
  1 Acceso a las salas de congresos
  2 Acceso a los parkings
  3 Hotel, restaurante, servicios
  4 Entrada de peatones a los restaurantes
  5 Torre hotel
  6 Hotel
  7 Restaurantes
3 Sobre los parámetros exteriores los signos de la «Ville Radieuse»
4 Sección oeste-este
5 Vista lado sur con la rampa

1964 Conference centre in Strasbourg, project

«M. Pfimlin, the mayor, and the city council's excellent staff had drawn up a perfect programme. Under such favourable conditions, the architect can claim to work as if he was working for Divine Providence itself; with complete scrupulousness, integrity, loyalty. Then it is that architecture belongs in the realm of the passions...» The cuboid, with the monumental ramps on its north facade, was to be constructed in reinforced concrete, with no formwork.

1 South-north section
2 Site plan
  1 Access to the conference suites
  2 Access to the car parks
  3 Hotel, restaurant, services
  4 Pedestrian entrance to the restaurants
  5 Towerblock hotel
  6 Hotel
  7 Restaurants
3 The symbols of the «Ville Radieuse» appear on the upper facade
4 West-east section
5 View of the model from the south, showing the ramp

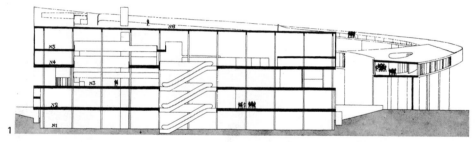

1

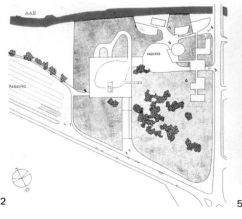

2

5

3

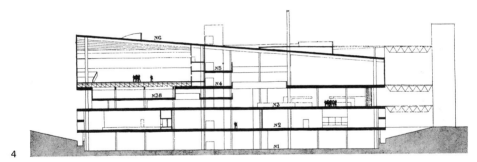

4

151

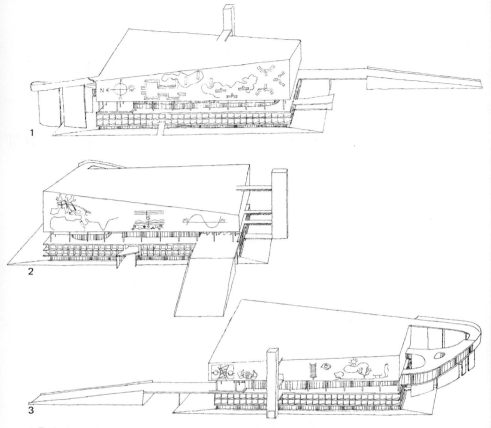

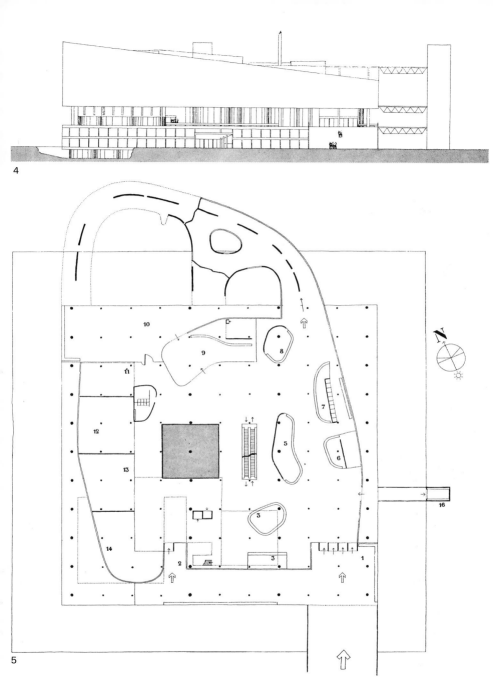

4

5

1960 Firminy-Vert

Firminy es una ciudad industrial cerca de Saint-Etienne. Desde hacía años, el alcalde era el señor Claudius Petit, antiguo ministro de la Reconstrucción después de la segunda guerra mundial. Gracias a él, el gobierno francés apoyó la iniciativa de la primera «unité d'habitation» en Marsella. En los años 50, Petit favoreció la creación de Firminy-Vert. Allí Le Corbusier construyó primero el Centro de Jóvenes y de Cultura, edificio que pudo inaugurar aún, poco antes de su muerte. En la misma época comenzó en el punto más elevado de Firminy la construcción de una «unité d'habitation», la quinta que pudo realizar. Esta «unité» fue acabada y habitada en 1967. Las tribunas y el estadio fueron igualmente construidos según los planos de Le Corbusier (ver plano de situación p. 157). Claudius Petit pensó hacer construir la iglesia, al este del Centro de Jóvenes según los planos de Le Corbusier. Se trata de una iglesia concebida como una cáscara en forma de paraboloide hiperbólico. Plano de situación, «unité d'habitation» de 400 viviendas

1 Carretera
2 Entrada automóviles
3 Entrada
4 Ascensores
6 Parking
7 Carretera hacia los garages
8 Garages
9 Carretera de camiones
10 Parques
14 Pasaje cubierto
15 Club (baile, teatro, cine, etc.)
16 Piscina

1960 Firminy-Vert

Firminy is an industrial town near Saint Etienne. The mayor, M. Claudius Petit, a former minister in the post-war government of Reconstruction, had been in office for years at the time of the project. Thanks to him, the French government had supported the initiative for the first «unité d'habitation» in Marseille. In the fifties, Petit was strongly supportive of the creation of Firminy-Vert. Le Corbusier's first building there was the Youth and Cultural Centre, whose opening he managed to attend, shortly before he died. At the same time, he started work, on the highest point of the town of Firminy, on the construction of a «unité d'habitation», the fifth of those he built. This «unité» was completed and occupied in 1967. The sports stadium, with its tiered seating, was likewise built acording to Le Corbusier's plans (see the site plan on p. 157). Claudius Petit also wanted to construct the church, to the east of the Youth Centre, on the basis of Le Corbusier's drawings: a church conceived in the form of a great shell, a hyperbolic parabola. Site plan. 400 apartment «unité d'habitation»

1 Main road
2 Vehicle entrance
3 Entrance
4 Lifts
6 Car park
7 Road to the garages
8 Garages
9 Road for heavy vehicles
10 Parks
14 Covered walkway
15 Social club (dancing, theatre, cinema, etc.)
16 Swimming pool

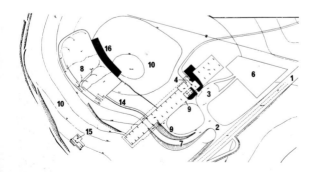

1 Secciones con distribución de siete calles interiores
1 Plantas 4, 5 y 6, con la calle interior R2
3 Fachada este

1 Sections showing the distribution of the seven interior streets
2 Plans of floors 4, 5 and 6 with interior street R2
3 View of the east facade

«Unité d'habitation»

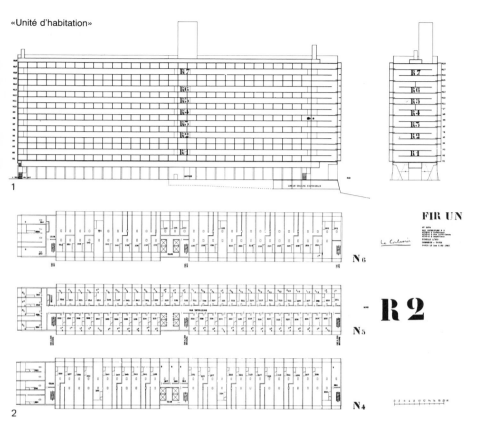

1

2

FIR UN

R2

N 6

N 5

N 4

3

Gran terraza sobre el techo de la «unité»

The large terrace on the roof of the «unité»

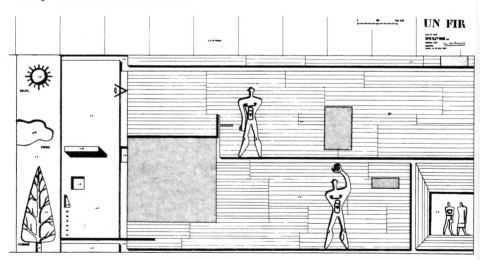

Bajorrelieve en la planta baja de la caja de escalera de la «unité»

Drawing for a bas-relief on the ground floor of the stairwell of the «unité»

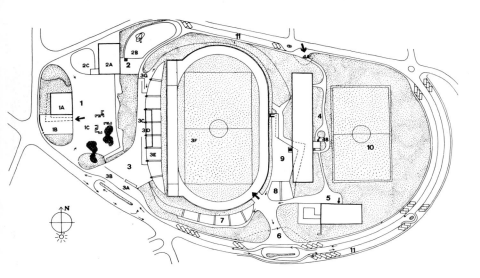

Plano del conjunto
1 Centro parroquial (a realizar)
  1a Iglesia, entrada al presbiterio y a las salas parroquiales
  1b Rampa de entrada a la iglesia
  1c Plaza de la iglesia
2 Piscina
  2a Piscina cubierta con estanque, 25 m (82') × 15 m (49')
  2b Vestuarios
  2c Piscina para niños
3 Estadio
  3a Taquillas de entrada
  3b Salida de espectadores
  3c Paseo para espectadores
  3d Gradería 3400 plazas
  3e Tribuna cubierta
  3f Campo de fútbol y rugby
  3g Entrada de atletas
4 Centro de Jóvenes
  4a Camino al Centro de Jóvenes
  4b Entrada al edificio
5 Teatrillo (sin realizar)
6 Entrada para desfiles, juegos electrónicos, accesos para camiones
7 Gradas
8 Teatro
9 Escenario
10 Zona de entreno
11 Parking

Plan of the complex
1 Parish centre (awaiting construction)
  1a Church, entrance to the presbytery and the parish halls
  1b Entrance ramps to the church
  1c Church square
2 Swimming pool
  2a 25 m (82') × 15 m (49') indoor swimming pool
  2b Changing rooms
  2c Children's pool
3 Sports stadium
  3a Turnstile for admission
  3b Spectators' exit
  3c Spectators' precinct
  3d Stand for 3400 spectators
  3e Covered grandstand
  3f Football and rugby pitch
  3g Player's entrance
4 Youth Centre
  4a Road to the Youth Centre
  4b Entrance to the building
5 Small theatre (never built)
6 Entrance for processions, electronic games, heavy vehicle access
7 Stand
8 Theatre
9 Stage
10 Training field
11 Car park

1 Fachada oeste
2 Corredor de la planta principal
3 Fachada este con la rampa de acceso a la entrada principal

1 View of the west facade
2 Corridor of the main floor
3 View of the east facade with the access ramp to the main entrance

Bocetos del Centro de Jóvenes y de Cultura   Sketches of the Youth and Cultural Centre

1 Hall de entrada	1 Entrance hall
2 Sala de reunión 2	2 Meeting area 2
3 Biblioteca	3 Library
4 Sala de exposiciones	4 Exhibition area
5 Sala de reunión 1	5 Meeting area 1

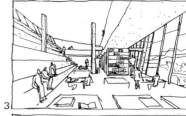

Iglesia Saint-Pierre

La iglesia de Firminy-Vert se concibió así debido a su situación en la parte baja de un valle. Está hecha a modo de una cáscara hiperbólica. Representa una tercera concepción de Iglesia adaptada a las circunstancias, como lo fueron Ronchamp y la Tourette.

Church of Saint-Pierre

The design of the Firminy-Vert church takes account of its position, in the lower part of the valley. The building has the hyperbolic form of a great shell, and represents a third conception of church architecture adapted to its particular circumstances, in the same line as Ronchamp and La Tourette.

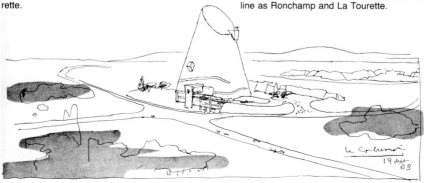

159

1964 Embajada de Francia en Brasilia, proyecto

Brasilia es una ciudad completamente nueva, cuyos urbanistas y arquitectos son Lucio Costa y Oscar Niemeyer. Le Corbusier sintió siempre amistad por ese país que conoció en 1929, 1936 y más tarde. El ministro del Interior le dijo: «Hemos decidido mantener el carácter de nuestras empresas modernas, dictado por sus teorías de usted que ya construyó para nosotros, en la Bahía de Río, el Palacio del Ministerio de Educación Nacional y Salud Pública.»

1 Plano de la situación
  1 Casa del embajador
  2 Cancillería
  3 Piscina
  4 Parking
  5 Portería
  6 Servicio
2 Fachada este de la cancillería

1964 French Embassy in Brasilia, project

The urban designers and architects of the entirely new city of Brasilia were Lucio Costa and Oscar Niemeyer. Le Corbusier always had a special affection for the country, which he first got to know in 1929, and visited again in 1936 and again in later life. The Brazilian Minister of the Interior said to him on one occasion, «We have decided to maintain the modern character of our enterprise here, dictated by your theories, as the architect who constructed for us, on the bay of Rio de Janeiro, the Headquarters for the National Ministry of Education and Public Health.»

1 Site plan
  1 Ambassador's residence
  2 Chancellery
  3 Swimming pool
  4 Car park
  5 Gatehouse
  6 Services
2 View of the west facade of the Chancellery

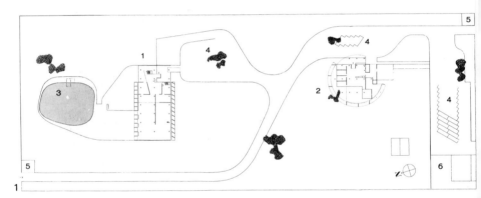

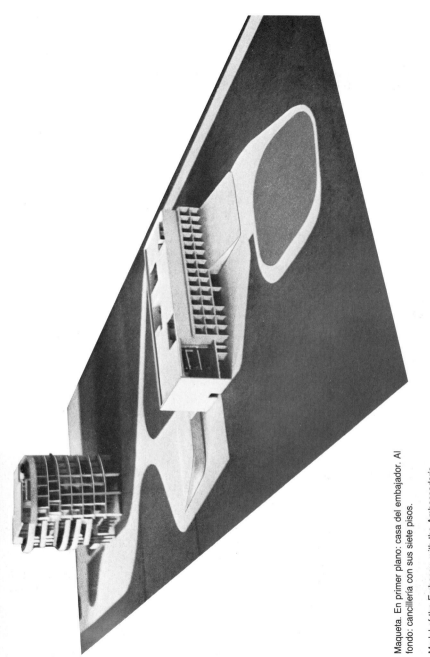

Maqueta. En primer plano: casa del embajador. Al
fondo: cancillería con sus siete pisos.

Model of the Embassy, with the Ambassador's
residence in the foreground and the seven-storey
Chancellery building to the rear

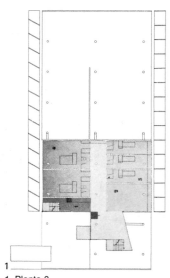

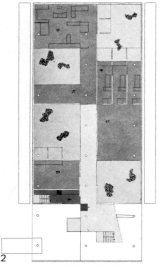

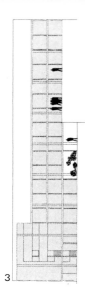

1   Planta 3
  1 Office
  2 Salón
  3, 4 Dormitorios
2   Planta 4
  1 Office
  2 Salón
  3, 4 Habitaciones para niños
  5 Biblioteca
  6 Habitación embajador
3   Fachada norte

1   3rd floor plan
  1 Office
  2 Lounge
  3, 4 Bedrooms
2   4th floor plan
  1 Office
  2 Lounge
  3, 4 Children's bedrooms
  5 Library
  6 Ambassador's bedroom
3   The north facade

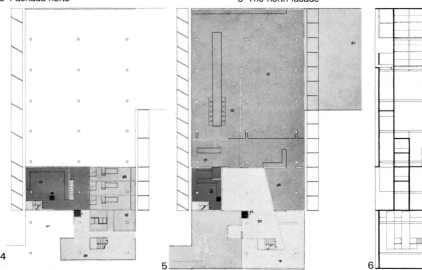

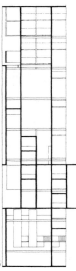

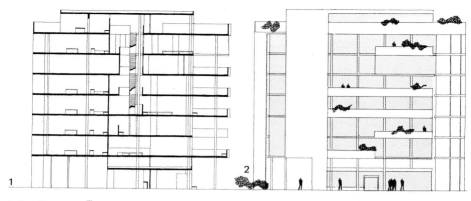

1 Sección este-oeste	4 Planta 3	1 East-west section	4 3rd floor plan
2 Fachada este	1 Recepción	2 The east facade	1 Reception
3 Planta 1	2 Servicio	3 1st floor plan	2 Services
1 Entrada	3 Lavabos	1 Entrance	3 Washrooms
2 Recepción	4 Consejero comercial	2 Reception	4 Commercial attaché
3 Ascensores	5 Consej. financiero	3 Lifts	5 Financial attaché
4 Consulado	6 Escalera	4 Consulate	6 Stairs
5 Portería		5 Gatehouse	

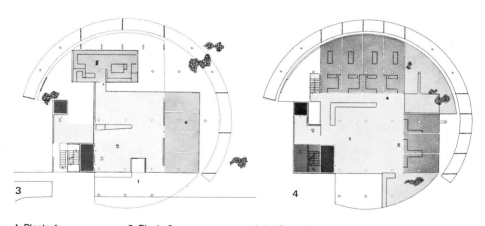

4 Planta 1	5 Planta 2	4 1st floor plan	5 2nd floor plan
1 Entrada	1 Entrada	1 Entrance	1 Entrance
2 Vestuario	2 Recepción	2 Cloakroom	2 Reception
3 Cocina	3 Ascensor	3 Kitchen	3 Lift
4 Montacargas	4 Vestuario	4 Service lift	4 Cloakroom
5 Habitación criados	5 Salón pequeño	5 Servants' quarters	5 Small salon
6 Vestuarios	6 Salón grande	6 Cloakrooms	6 Large salon
	7 Terraza		7 Terrace
	8 Comedor		8 Dining room
	9 Comedor pequeño		9 Small dining room
	10 Office		10 Office
	6 Sección longitudinal		6 Longitudinal section

1964 Nuevo hospital de Venecia, proyecto

Al disponer horizontalmente los volúmenes de este hospital de 1200 camas, Le Corbusier intentó evitar que la silueta de Venecia fuese alterada. El edificio consta de cuatro niveles: 1. accesos, administración, cocina; 2. quirófanos, alojamientos de las enfermeras; 3. vías de comunicación y distribución de servicios, y 4. secciones de enfermos. El hospital está destinado a recibir casos de urgencia y pacientes aquejados por enfermedades agudas. Cada enfermo dispone de una celda sin ventanas; la luz penetra por las altas aberturas laterales que regulan los efectos del sol. La luz es regular, y lo mismo sucede con la temperatura ambiente. Así, los enfermos se hallan agradablemente aislados.

Le Corbusier escribió en 1940 debajo de este croquis: «Por caminos muy diferentes, hemos encontrado la gran ley del urbanismo que luce tan adorablemente en Venecia.»

1964 New hospital in Venice, project

In laying out the volumes of this 1200-bed hospital horizontally, Le Corbusier was seeking to avoid interfering with the Venice skyline. The building is set out over four floors: 1. accesses, administration, kitchen; 2. operating theatres, nurses' residences; 3. distribution routes for communications and services; 4. patients' rooms. The hospital is intended to receive emergency admissions and acute cases, with each patient having an individual room, without windows, which the light enters by way of openings high up in the side walls, thus moderating the effects of the sun's rays. This helps to ensure that the light and the air temperature are kept constant, providing the patients with a pleasantly protected environment.

Le Corbusier wrote the following words under this 1940 sketch: «By very different paths, we have discovered the great law of urban design which lights up Venice so wonderfully.»

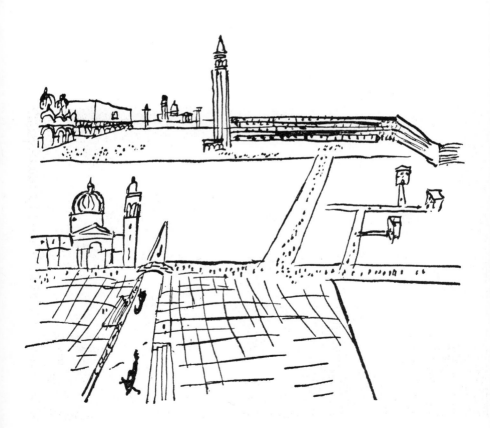

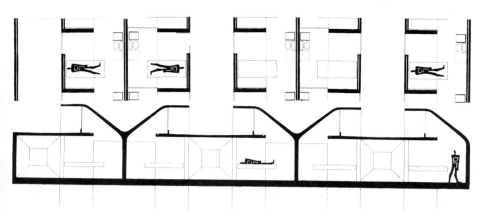

Plano y sección de habitaciones-tipo

Plan and section of the type of patients' rooms

Planta cuarta y habitaciones de enfermos

The 4th floor, with the patients' rooms

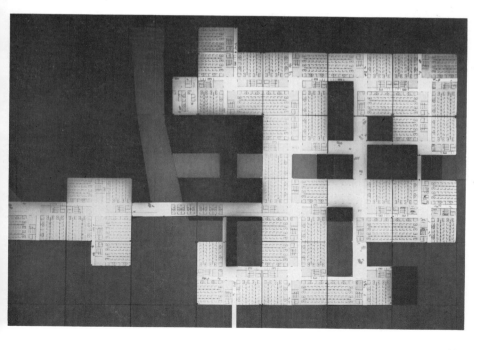

Segundo proyecto 1965: fachada oeste y maqueta.

2nd version of the project, 1965: elevation of the
west facade and view of the model

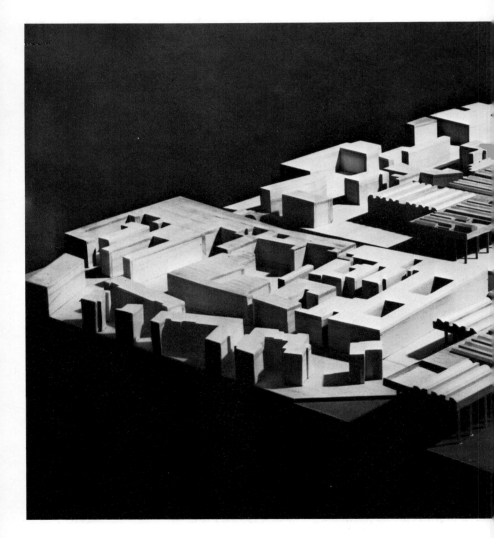

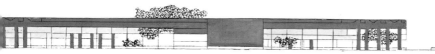

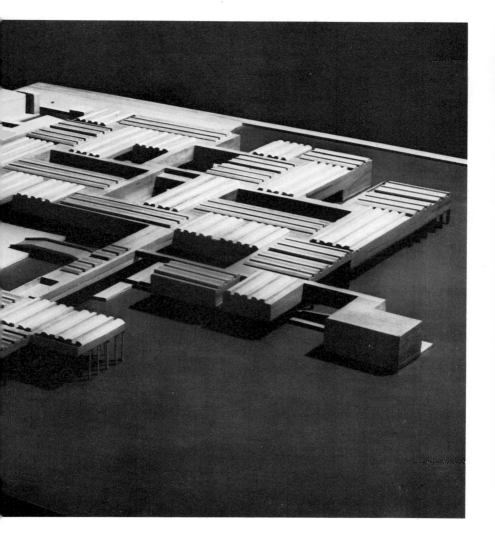

Cuando la publicación del 7.º volumen de las obras completas, 1957-1965, Le Corbusier sugirió la idea de resumir las «unités d'habitation» bajo el título **«La fin d'un monde... Délivrance»**. Este título había ya preocupado a Le Corbusier en 1952.

Completamos, pues, de este modo, la tercera parte de esta edición, situando:

El Urbanismo
Las «unités d'habitation»
Chandigarh
Los Museos

y titulándola «El fin de un mundo... Liberación», pues incluimos en ella los trabajos que siempre preocuparon y absorbieron la mente de Le Corbusier.

At the time of the publication of volume 7, 1957-1965, of his collected works, Le Corbusier suggested that the «unités d'habitation» be brought together under the heading **«La fin d'un monde... Délivrance.»** This dictum had exercised him as early as 1952.

This third part of the present book, then, covers
urban design,
the «unités d'habitation»,
Chandigarh,
and the museums,
under the little «The end of a world... Liberation», and includes work which constantly occupied a place in Le Corbusier's thoughts.

3

Urbanismo

Ponencia presentada en el Congreso Internacional de Estudio sobre el problema de las zonas subdesarrolladas, Milán, 10-15 de octubre, 1954.

1. El urbanismo es una llave. Esta llave abre perspectivas: formas de pensar y técnicas de acción.
2. Definición del usuario, una familia que nace, que se desarrolla, que disminuye y desaparece.
3. Las 24 horas solares, acontecimiento fundamental, que determina el ritmo de la vida de los hombres.
4. El grupo familiar está, esencialmente, en evolución constante. El Modulor basado en la estatura humana constituye el enlace entre pie-pulgada y el sistema decimal.
5. Los servicios comunes desmesurados y los servicios comunes proporcionados, la ciudad desmesurada, la ciudad proporcionada; la masa de transportes.

La ciudad se planifica bajo la disciplina de la regla de los 7 V, cuya consecuencia es el sector. El sector, auténtica llave de un urbanismo moderno. Todo el tráfico queda fuera de la vida doméstica de 24 horas y el interior del sector queda completamente resguardado. Estos principios fijan el centro de negocios radio-concéntrico y proponen espontáneamente la ciudad industrial lineal.

Urban design

From a paper presented to an international study conference on the problems of underdeveloped areas held in Milan, October 10th-15th, 1954:

1. Urban design is a key. This key unlocks perspectives: ways of thinking and techniques of action.
2. Definition of the user, a family which is born, evolves, diminishes and disappears.
3. The 24 solar hours, a fundamental fact which determines the rhythm of human life.
4. The family group is, essentially, in constant evolution... The Modulor based on human proportions is the link between feet and inches and the decimal system.
5. Badly-proportioned communal services and well-proportioned communal services, the badly-proportioned city, the well-proportioned city; the mass of transport.

The planning of the city is given discipline by the rule of the 7 Vs, whose consequence is the sector. The sector is the true key to modern urban planning. All traffic is to be excluded from the domestic environment 24 hours a day, and the interior of the sector is to be completely sheltered. These principles establish the radial-concentric business centre and spontaneously propose the linear industrial city.

1

2

3

6. La ciudad lineal industrial está determinada según la escala humana y el recorrido del sol. Es la gran creación del urbanismo de los tiempos modernos. El campo también se mecaniza y ofrece vastas extensiones verdes y cultivadas entre las ciudades lineales que surcan el territorio. Las zonas económicas se configuran de forma natural y las grandes rutas de las ciudades lineales irán desde el Atlántico a China.

Camino eterno y fatídico: ya en los primeros tiempos de las sociedades humanas se recorrieron estas mismas rutas sin otro vehículo que el paso del hombre. Ello autoriza a hablar de «El Fin de un Mundo».

6. The linear industrial city is determined by the human scale and the sun's path. This is the great creation of urban design in the modern age. The countryside, too, has become mechanised, offering vast expanses of green and cultivated fields between the linear cities which cut across the terrain. Economic zones will adopt their natural configuration, and the great highways between the linear cities will run from the Atlantic to China.

The eternal, fateful path: in the earliest times, the first human societies travelled this route on foot, without vehicles of any kind. This allows us to speak of «The End of a World.»

5

6

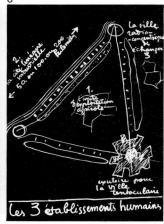

1922-1946 Planes de París

En 1922, en el Salón de Otoño, la ciudad para tres millones de habitantes pareció un discurso en el desierto. En 1925, reconstrucción del centro de París. En 1929 la situación creada en el centro de París era tal que la Administración se vio desbordada. La primera tarea habría sido (cosa fácil), cifrar la operación del centro de París. La doctrina del urbanismo moderno proclama: urbanizar es valorizar. El centro de París en la actualidad amenazado de muerte, amenazado por el éxodo, es en realidad una mina de diamantes. El centro de París debe reconstruirse sobre sí mismo, como fenómeno biológico y geográfico.

1922-1946 The plans for Paris

In 1922, at the Salon d'Automne, the scheme for the city for three million inhabitants was a prophecy in the desert. In 1925, the centre of Paris was reconstructed. In 1929, the situation created in the centre of Paris was such that the City Administration found itself at a loss to know what to do. The first task would have been (a simple undertaking) to put a cost on the operation of the centre of Paris. The doctrines of modern urban design proclaim: urban planning is evaluation. The centre of Paris, currently faced with death, threatened with a mass exodus, is in fact a diamond mine. The centre of Paris should rebuild itself on its own foundations, as a biological and geographic phenomenon.

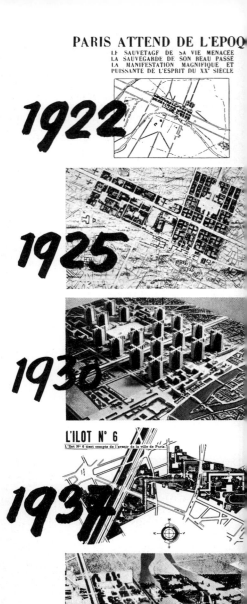

PARIS ATTEND DE L'EPOQ
LE SAUVETAGE DE SA VIE MENACÉE
LA SAUVEGARDE DE SON BEAU PASSÉ
LA MANIFESTATION MAGNIFIQUE ET
PUISSANTE DE L'ESPRIT DU XX° SIÈCLE

1922
1925
1930
L'ILOT N° 6
1937
1937

ici, l'académisme dit. Non !

172

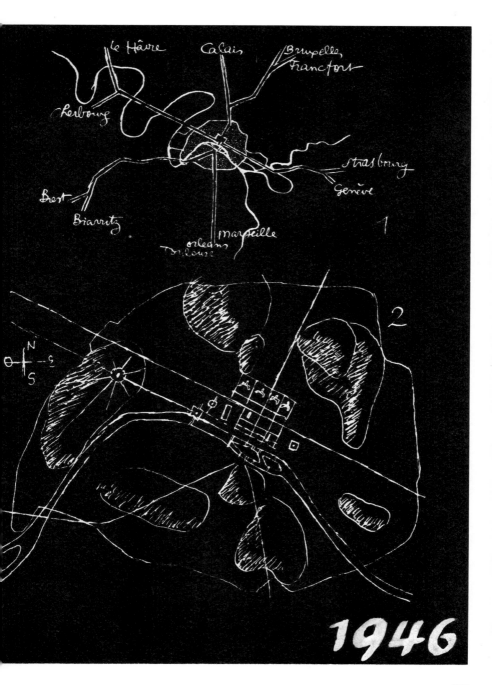

Le Hâvre   Calais   Bruxelles   Francfort

Cherbourg

Strasbourg

Genève

Brest

Biarritz

Marseille

Orléans   Toulouse

1

N   E
S

2

1946

1930 Urbanización de la ciudad de Argel, proyecto

El proyecto tiene tres partes:

A. Creación de una ciudad de negocios, en los terrenos de la «Marine», destinado a la demolición.

B. Creación de una ciudad de residencia en los terrenos actualmente inaccesibles de «Fort L'Empereur», por medio de una pasarela que irá de la ciudad de negocios a los terrenos libres.

C. Conexión de los dos suburbios extremos de Argel: St. Eugène-Hussein-Dey, por una autopista que correrá en la cota de altitud 100 m (333') por delante de los acantilados. Esta autopista será sostenida por una estructura de hormigón de una altura variable de 60 m (200') a 90 m (300') y en la cual se dispondrán viviendas para 180 000 personas. Creación de vías de circulación rápidas y de los bloques de viviendas necesarios.

1930 Urban planning for the city of Algiers, project

The project is in three parts:

A. The creation of a business district in the harbour area of the «Marine», due for demolition.

B. The creation of a residential city on the presently inaccessible land of the «Fort l'Empereur», linked to the business district by a walkway.

C. The connection of the two extreme outlying suburbs of Algiers, St-Eugène and Hussein-Dey, by means of an expressway running at a height of 100 m (333') in front of the cliffs. The expressway will be supported on a concrete structure varying between 60 m (200') and 90 m (300') in height which will contain housing for 180,000 people. The creation of the necessary rapid transit routes and housing blocks.

1 Proyecto A, denominado Proyecto Obús, para indicar que se trata de una idea general y nueva
2 Maqueta, proyecto A

1 Project A, known as the Obus Project, to indicate that this was a new and general idea
2 View of the model of Project A

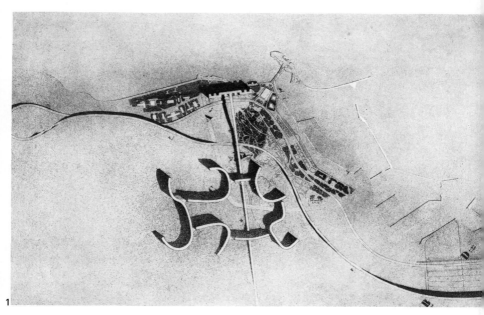

2

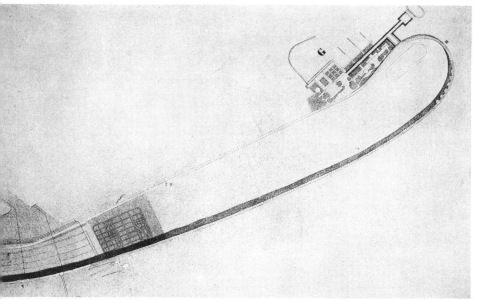

1938 Rascacielos del Barrio de la Marine en Argel, proyecto

(Continuación de los proyectos de 1930)
La solución urbanística fue transformada a consecuencia del plan director de 1942.
El presente proyecto es interesante desde varios puntos de vista. El rascacielos ya no es, como en América, una forma accidental, sino una verdadera biología que contiene con precisión determinados órganos. Un armazón independiente, totalmente cerrado por superficies acristaladas, un «brise-soleil», un sistema completo de circulación vertical (distribución del peatón y del automóvil al pie del rascacielos), un parking de coches.

1 Plano de situación
 1 Promenade des Anglais consagrada al futuro centro cívico
 2 Ciudad de negocios
 3 Exaltación de la Casbah
 4 Instalación de instituciones indígenas para facilitar los nexos fraternales entre las dos razas
 5 La vivienda colocada en su sitio
 6 Un trazado atrevido e ingenioso permite comunicar el conjunto
2 Planta tipo
3 Maqueta del rascacielos, fachadas este y sur
4 Plano general del Barrio de la Marine, vista desde el mar

1938 Skyscraper for the «Marine» district in Algiers, project

(Continuation of the 1930 projects)
The proposed urban design scheme was transformed as a consequence of the directive plan of 1942. The project shown here is of interest from a number of points of view. The skyscraper is not here, as in the United States, an accidental form, but a genuine biology, composed of precisely determined organic elements. The building has a free-standing structure, entirely encased in glass, a «brise-soleil», a complete vertical circulation system (with distribution of pedestrians and vehicles at the foot of the skyscraper) and its own car park.

1 Site plan
 1 The Promenade des Anglais as the site for the future civic centre
 2 The business district
 3 The Casbah raised high
 4 Local institutions intended to promote harmony between the two races
 5 The housing occupies an appropriate site
 6 A daring and ingenious circulation layout links the different parts of the scheme
2 Typical floor plan
3 View of the east and south facades of the model of the skyscraper
4 General view of the «Marine» district from the sea

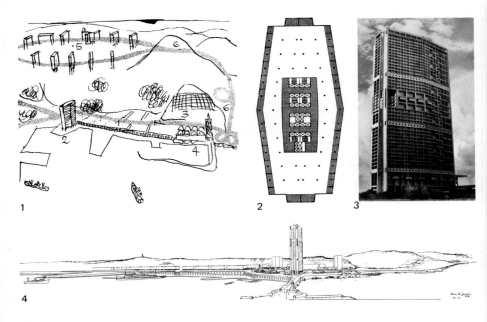

1

2

3

4

**1929 Estudio de urbanización de Montevideo
(Uruguay)**
Una propuesta de ciudad de negocios acorde con la
topografía.

**1929 Urban design scheme for Montevideo
(Uruguay)**
A planning proposal for the business district,
adapted to the topography of the area.

**1929 Estudio de urbanización de São Paulo
(Brasil)**
Boceto para una solución radical de circulación
inextricable.

**1929 Urban design scheme for São Paolo
(Brazil)**
A sketch design of a radical solution to the problem
of traffic in the city.

**1929 Estudio de urbanización de Buenos Aires
(Argentina)**
Buenos Aires es una ciudad compacta de una formi-
dable extensión, formada por una red absoluta-
mente regular de «cuadras» de 110 m (366 1/2') de
lado. El proyecto tiene como finalidad el dotar a
la ciudad de una clasificación de elementos fundamentales y de un régimen arterial proporcionado
a sus necesidades.

**1929 Urban design scheme for Buenos Aires
(Argentina)**
Buenos Aires is a compact city of extremely
extensive area, made up of an absolutely regular
network of «cuadras», square blocks measuring 110
× 110 m (366 1/2'). The aim of this project is to
furnish the city with a structured series of essential
elements and an arterial road system in line with
its needs.

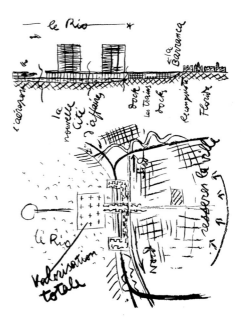

1929 Estudios de urbanización de Río de Janeiro (Brasil)

La operación permite unir las diversas bahías de la ciudad sin alterar las preexistencias:
1. Adoptar un tipo de edificio de viviendas de rendimiento óptimo (densidad, espacio, sol y vistas, servicios comunes, criados, etc.). 2. Situar las viviendas en los lugares más favorables. 3. Situar los negocios, la industria, etcétera. 4. Crear las comunicaciones para el gran tráfico.
1 Vista desde el mar, con la nueva autopista
2 La nueva autopista bajo la cual se proyectaron las viviendas
3 Plano de situación

2

1929 Urban design schemes for Rio de Janeiro (Brazil)

The operation proposed here makes it possible to link the city's several bays without altering the existing structure:
1. Adoption of an optimum-performance housing type (density, space, sunlight and views, commuinal services, servants, etc.). 2. Situation of the housing in the most favourable locations. 3. Strategic location of business and industrial premises, etc. 4. Creation of links with major traffic routes.
1 View from the sea, showing the new motorway
2 The new motorway, with housing to be constructed beneath it
3 Site plan

3

1

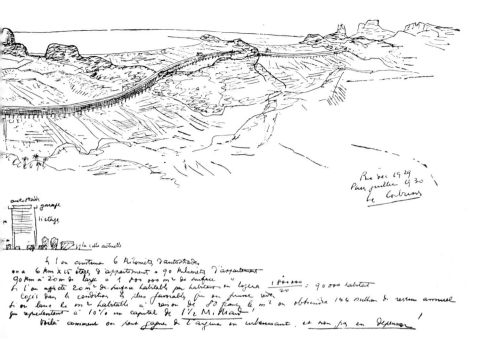

Rio dec 1929
Paris juillet 1930
Le Corbusier

1936 Plan para una ciudad universitaria en Río

El terreno ocupa uno de los anillos del estrecho valle de aluviones que desemboca en Río. La zona está atravesada por todas las vías ferroviarias y carreteras que se adentran hacia el interior del Brasil. Regla: a) A nivel de suelo, circulación y estacionamiento. b) Pasos sobreelevados, peatones y lugares de trabajo.

1936 Plan for the university campus in Rio de Janeiro

The site is in a narrow alluvial valley which opens onto the city of Rio, and the area is cut through by all the main rail and road routes leading into the interior of the country. Principle: 1) ground level for vehicular traffic and parking; b) raised levels for pedestrians and work areas.

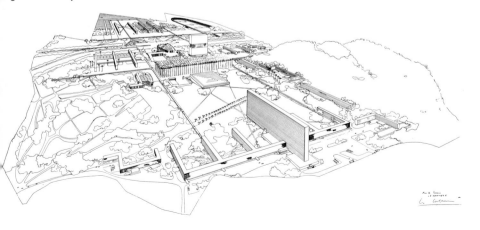

1933 Plan Macià para Barcelona
1 Plano de situación
  V   Los límites de la ciudad contienen las parce-
      laciones y suburbios
  R   Las rutas cardinales
  AS Autopista que conduce a la ciudad de espar-
      cimientos WE
  CAP Ciudad de negocios y puerto
  AEG Estación aérea «station taxi»
  AEP Aeropuerto
1933 Plan Macià for Barcelona
1 Site plan
  V   The city boundaries including the suburbs
  R   The principal traffic routes
  AS The motorway serving the leisure resort WE
  CAP The business and harbour district
  AEG Air taxi station
  AEP Airport

1933 Urbanización de la orilla derecha de Ginebra
El proyecto debía demostrar a los ginebrinos que
era posible construir un cubo equivalente de viviendas, creando al mismo tiempo una «ciudad verde».
2 Plano primera planta
1933 Urban development scheme for the right bank in Geneva
The project sought to demonstrate to the people of
Geneva the practicability of constructing a cubic
volume for housing while at the same time creating
a «garden city».
2 First floor plan

1933 Urbanización de la ciudad de Estocolmo
Un istmo y una isla exigían instalaciones nuevas.
3 Perspectiva
1933 Urban development scheme for the city of Stockholm
An innovative approach was required for the
development of a peninsula and a small island
3 Perspective sketch

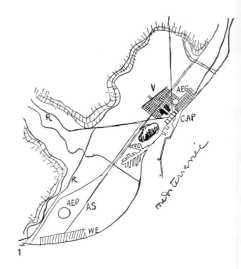

1

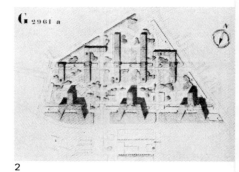

2

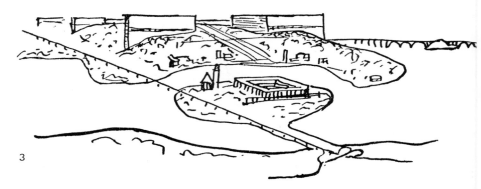

3

180

1933 Urbanización de la orilla izquierda del Escalda en Amberes

1 Plano general

    NGM La nueva estación marítima se abre sobre la avenida principal presidida por la vieja catedral

    CA   Ciudad de negocios

    IM   Instituciones internacionales proyectadas

    CO   Centro Olímpico

    AEG Estación aérea

    HVV Viviendas en la ciudad-jardín

1933 Urban development scheme for the left bank of the Scheldt in Antwerp

1 General plan

    NGM New harbour area opening onto the main avenue overlooked by the old Cathedral

    CA   Business district

    IM   Intended for various international institutions

    CO   Olympic Centre

    AEG Air taxi station

    HVV Housing in the garden city

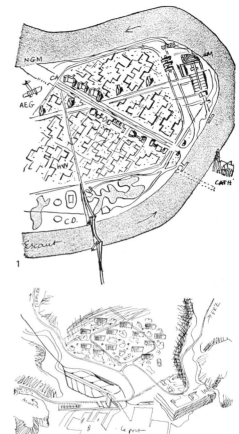

1

1934 Urbanización de la ciudad de Nemours (norte de Africa)

Los 18 edificios de viviendas están orientados al sol. La red concéntrica y diagonal de peatones surte al anfiteatro de viviendas a ras de suelo.

2 Plano general

3 Análisis topográfico del terreno

1934 Urban development scheme for the city of Nemours (North Africa)

The 18 apartment buildings are all oriented towards the sun. A concentric and diagonal network of ground-level pedestrian walkways serves the amphitheatre-like area over which the housing is laid out.

2 General plan

3 Topographical analysis of the site

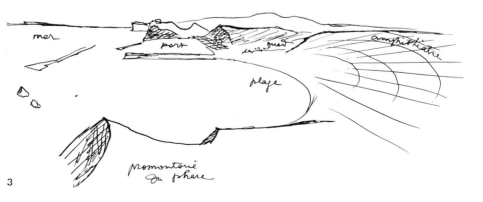

2

3

1935 Nueva York (estudio)

«He visto los rascacielos, espectáculo que los americanos ya no tienen en cuenta, y al cual, después de seis semanas, como todo el mundo, me he acostumbrado pasivamente. Una altura de 300 m (914') es un acontecimiento arquitectónico; está dentro del orden de las sensaciones psicofisiológicas, algo importante. Se siente con el cuello y el estómago. Algo bello en sí mismo. El rascacielos es demasiado pequeño y lo destruye todo. Hagámoslo mayor, verdadero y útil: ello nos devolverá un inmenso terreno, pagará propiedades arruinadas, dará verdor a la ciudad y posibilitará una circulación impecable: todo el terreno para los peatones, en los parques, y los coches por el aire, sobre pasarelas, extrañas pasarelas de circulación única, que permitirán correr a 150 km por hora, yendo... simplemente de un rascacielos a otro.

Para ello hacen falta medidas sintéticas; sin ellas nada es posible.

»El Central Park es otra lección. Veamos cómo los grandes hoteles y las "casas de apartamentos" han abierto espontáneamente sus ventanas a él, al placer del espacio. Pero el Central Park es demasiado grande y constituye un agujero en medio de las casas. Es una lección. Se atraviesa el Central Park, como "no man's land". El verdor, y sobre todo, el espacio del Central Park deberían estar en todo Manhattan, bien distribuido y multiplicado.

»Sé, por medio de estudios minuciosos, diversos, múltiples y precisos que es posible alojar en extraordinarias condiciones de bienestar y alegría mil habitantes por hectárea (condiciones de la «ville radieuse»: 12 % de suelo construido, 88 % de parques, paseos y deportes, separación definitiva del peatón y el automóvil, 100 % de terreno libre para espacios inmensos de 180 m (600') a 360 m (1200') ante cada ventana y por todas ellas sol a raudales, etc...). Sé que es posible alojar en Manhattan seis millones de habitantes...

Lo sé con certeza.»

(Extracto de «Quand les cathédrales étaient blanches».)

1935 New York (studies)

«I have seen the skyscrapers, a spectacle the Americans no longer appreciate; and to which I now, after six weeks, have become passively accustomed, just like everyone else. A building 300 m. (914') tall is an architectural event; it belongs to the order of psycho-physiological emotions; it is a thing of importance. One feels it with the neck and the stomach. Something beautiful in itself. The skyscraper is too small, and destroys everything. We will make it bigger, more genuine and more useful: it will reward us with an immense plot of land, it will restore ruined fortunes, it will make the city green and make a perfect traffic system possible: all of the land for pedestrians and parks, with the cars up in the air on raised viaducts, strange one-way viaducts where the 150 km. per hour traffic travels ... simply from one skyscraper to another. Synthetic measures are needed to achieve this; without them none of it is possible. «Central Park is another lesson. We can see how the grand hotels and apartment houses spontaneously open their windows onto it, to enjoy its space. But Central Park is too big, and constitutes a hole in the midst of the houses. That is a lesson. Crossing Central Park is like crossing a no man's land. The greenery, and above all the space, of Central Park should be present throughout Manhattan, properly distributed and multiplied.

«I know, as the result of numerous minutely designed and precise studies, that it is possible to accomodate 1,000 people per hectare in conditions of exceptional well-being and contentment (the conditions of the «ville radieuse»: 12 % of the surface built, 88 % given over to parks, walkways and sports areas, with a complete separation of pedestrian and motor vehicle, with 100 % of the site free for immense spaces to a distance of between 180 m (600') and 360 m (1200') in front of every window, all with abundant sunlight, etc. ...). I know it is possible to house six million people on Manhattan ... I am absolutely sure of it.»

(from «Quand les cathédrales étaient blanches»)

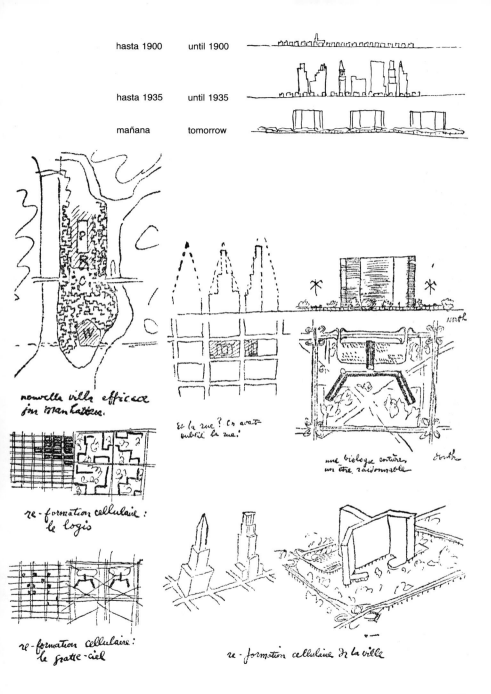

hasta 1900	until 1900
hasta 1935	until 1935
mañana	tomorrow

nouvelle ville efficace
sur Manhattan.

Et la rue? On avait
oublié la rue.

une biologie entière
un être raisonnable

re-formation cellulaire:
le logis

re-formation cellulaire:
le gratte-ciel

re-formation cellulaire de la ville

1946 Urbanización Saint-Dié

Destruida por la guerra. En la orilla izquierda del Meurthe, se planificaron manufacturas en forma de «fábricas verdes». Del otro lado del río, cinco «unités» para 10 000 habitantes. El corazón de la ciudad lo constituye el centro cívico, en medio del cual se sitúan el Ayuntamiento, la prefectura, los despachos, los equipamientos turísticos, los cafés, las instalaciones culturales, el museo, etc. Detrás del centro, la catedral con su claustro.

1 Vista del centro cívico, con el rascacielos del centro administrativo
2 Plan de reconstrucción. Toda la parte que se encuentra al sur del Meurthe, no fue destruida
3 Maqueta del nuevo centro de la ciudad

1946 Urban development scheme for Saint-Dié

Devastated by the war. On the left bank of the Meurthe, the scheme envisages industrial premises in the form of «green factories». On the other side of the river, five *unités* for 10,000 people. The heart of the town will be the civic centre, in the middle of which stand the Town Hall, the prefecture, offices, tourist facilities, cafés, cultural buildings, the museum, etc. To the rear of this centre, the cathedral with its cloister.

1 View of the civic centre, with the administrative offices' skyscraper
2 Reconstruction plan. The area to the south of the Meurthe was not destroyed
3 View of the model of the new town centre

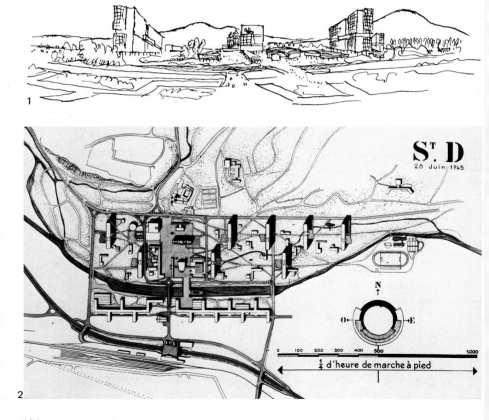

1

2

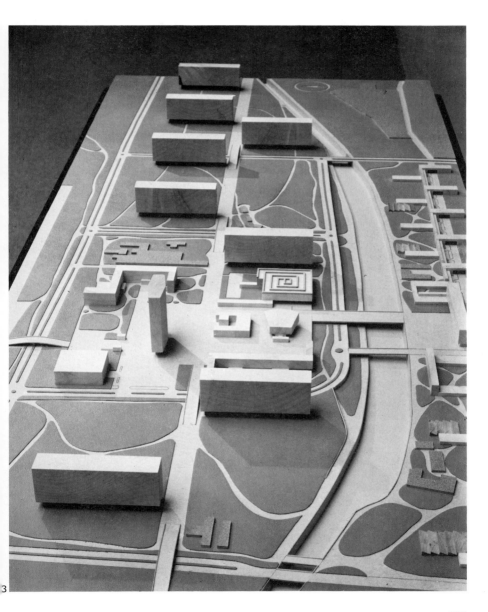

3

1945 Urbanización de La Rochelle-Pallice

Lo más importante de las decisiones tomadas por Le Corbusier es lo siguiente:
La ciudad industrial será una «ciudad-jardín».
La ciudad residencial se beneficiará de todas las técnicas modernas. Comprenderá los tres tipos de vivienda: a) la ciudad jardín vertical (grandes unités de 1 500 a 2 000 habitantes), b) la ciudad jardín horizontal (formada por viviendas unifamiliares), c) reparto proporcionado de edificios de capacidad media destinados a poder responder a las eventuales incidencias de la economía o la demografía.
1 Antigua ciudad de La Rochelle
2 La nueva ciudad residencial
3 La ciudad industrial. En gris oscuro, la zona ocupada ya por las fábricas; en gris claro, la nueva ciudad industrial

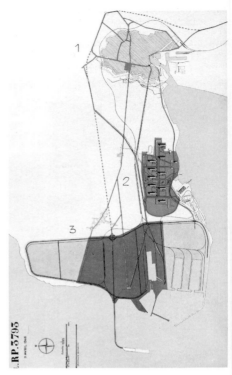

1945 Urban development scheme for La Rochelle-Pallice

The most important of the decisions made by Le Corbusier was the following: The industrial town will be a «garden city». The residential district was to benefit from all the most modern technology. It would consist of three housing types: a) the vertical garden city (great unités for 1500-2000 inhabitants), b) the horizontal garden city (made up of single-family houses), c) an even distribution of medium-density buildings intended as provision for future economic and demographic eventualities.
1 The old town of La Rochelle
2 The new residential development
3 The industrial city. Existing factories are shown in dark grey, the new industrial city in light grey

1945 Urbanización de Saint-Gaudens

(en colaboración con M. Lods)
1 De perfil, se ve el nuevo edificio de la Administración, que forma una composición de conjunto con la vieja iglesia románica
2 Se puede construir para cinco mil nuevos habitantes una unité provista de servicios comunes
3 Los establecimientos industriales hábilmente organizados, se situarán cerca del ferrocarril

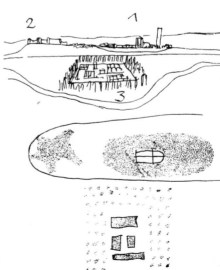

1945 Urban development scheme for Saint-Gaudens

(in collaboration with M. Lods)
1 In silhouette, the new local authority building, which makes a unified composition with the old Romanesque church
2 A unité, equipped with all the communal services, could be built to house 5,000 new residents
3 The intelligently laid-out industrial premises are sited close to the railway

1950 Urbanización de Bogotá (Colombia)

Le Corbusier había recibido el encargo de preparar el «Plan Piloto» (Plan general de la ciudad). Luego Josep Lluís Sert, presidente de los CIAM, y su socio Paul Lester Wiener, realizarían el «plan de urbanismo», es decir, la puesta en práctica del «Plan Piloto», en las condiciones concretas locales.

El Plan de Bogotá ofrece la particularidad de ser el primero en que apareció el principio de «sectores urbanos», división del terreno en rectángulos de superficie y de contenidos suficientes para canalizar y organizar el sistema circulatorio de las velocidades rápidas.

1950 Urban plan for Bogotá (Colombia)

Le Corbusier was originally commissioned to draw up the «Pilot Plan» (the overall plan for the city). Subsequently, Josep Lluís Sert, the president of the CIAM, and his partner Paul Lester Wiener, went on to produce the «urban design plan»; in other words, to put the «Pilot Plan» into effect in the specific local conditions.

The Plan for Bogotá is special in that it is here that the principle of «urban sectors» first appears: the terrain is divided into rectangles of sufficient area and content to chanel and organise the rapid transit circulation system.

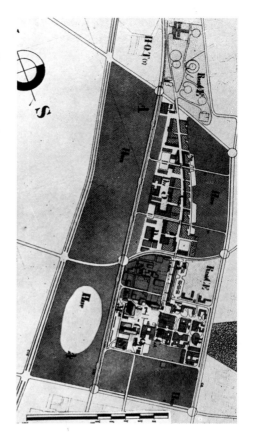

1938 Rascacielos cartesiano

Este tipo de rascacielos ha sido utilizado por Le Corbusier en la mayoría de sus estudios urbanísticos, ya como edificio administrativo, ya como unité d'habitation.

1 Una planta de despachos
2 Urbanización de Hellocourt (1935) con dos rascacielos cartesianos

1938 Cartesian skyscraper

This type of skyscraper was used by Le Corbusier in the majority of his urban design studies, whether as an administrative building or a unité d'habitation.

1 Office floor plan
2 Urban design scheme for Hellocourt (1935) with two Cartesian skyscrapers

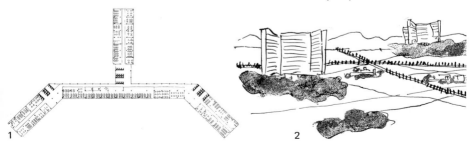

1

2

1958 Concurso Internacional de urbanismo de Berlín

Concurso para la reconstrucción del centro de Berlín destruido por la guerra. Los aviones habían arrasado todo el centro de la ciudad. Le Corbusier encontró en Berlín los problemas que ya había estudiado cuarenta años antes para el centro de París. El proyecto fue rechazado.

1958 International urban development competition for Berlin

The competition for the reconstruction of the centre of Berlin, destroyed in the war. Aerial bombing had razed the whole of the centre of the city. In Berlin, Le Corbusier found the same problems he had already encountered forty years before in studying the centre of Paris. His project was rejected.

Plano general   General plan

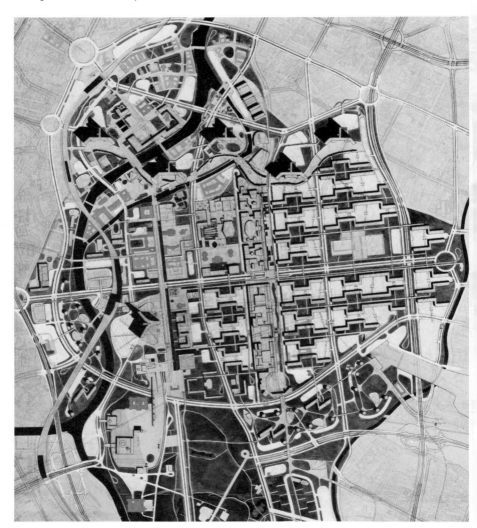

Ville Radieuse

La ciudad del mañana en la que se restablecerá la
relación naturaleza-hombre.
Boceto de Le Corbusier, 1935

Ville radieuse

The city of tomorrow, in which the relationship
between human beings and nature is reestablished.
Sketch by Le Corbusier, 1935.

Unités d'habitation

«Un acontecimiento revolucionario: sol, espacio, verdor. Si se quiere formar familia en la intimidad, en silencio y cerca de la naturaleza... pongamos a 2 000 personas, tomadas de la mano, que entran por una sola puerta hacia cuatro ascensores para veinte personas cada uno... Encontraremos la soledad, el silencio y la rapidez de contacto interior-exterior. Los edificios tendrán 50 m (166') de altura. Los parques alrededor de las casas acogerán los juegos de los niños, a los adolescentes y a los adultos. La ciudad será verde y, en los tejados, los jardines de infancia.»

Unités d'habitation

«A revolutionary occurence: sun, space, greenery. I you want to bring up a family in privacy, in peace, close to nature ... here are 2,000 people, their hands linked, all going in through the same door to four lifts for twenty people each ... here you will find solitude, tranquility and interior-exterior contact. The buildings will be 50 m. (166') high. The parks laid out around the houses cater for the children an their games, for adolescents and for adults. The city will be green, and on the roofs there will be kindergartens.»

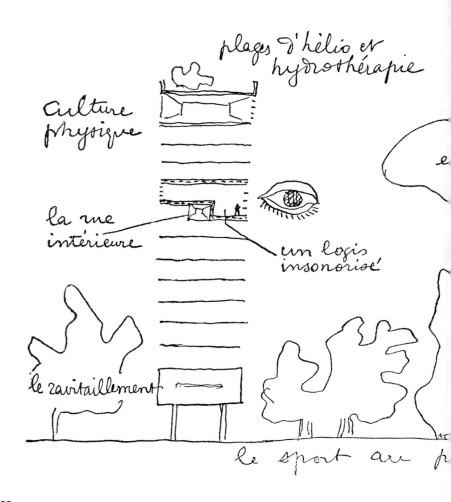

Un hombre de pie ante un panel de vidrio
(SOL, ESPACIO, VERDOR)

A person stands in front of a glass panel
(SUN, SPACE, GREENERY)

les maisons.

**1946 Unités d'habitation en Marsella
(280, boulevard Michelet)**

El estudio de esta construcción fue confiado a Le Corbusier, durante el verano de 1945, por el Ministerio de Reconstrucción francés. Se dio a Le Corbusier la máxima libertad para expresar, por primera vez y de un modo total, sus concepciones sobre el hábitat moderno, destinado a la clase media, con la posibilidad de abordar los grandes problemas del momento. Diversos tipos de apartamentos corresponden a diversos tipos de vida: solteros, parejas, familias con 2, 4, 6 hijos y más.

La primera piedra se colocó el 14 de octubre de 1947 y la inauguración tuvo lugar el 14 de octubre de 1952.

**1946 Unités d'habitation in Marseille
(280, boulevard Michelet)**

Le Corbusier was asked to prepare studies for this construction in the summer of 1945, by the French Ministry of Reconstruction. He was given the most complete freedom to express, for the first time and in full, his conceptions with regard to the modern habitat for the middle classes, as well as the opportunity to confront the serious problems of the time. Different apartment types correspond to different types of occupant: single people, couples, and families with 2, 4, 6 or more children. The first stone was laid on October 14th, 1947, and the inauguration ceremony took place on October 14th, 1952.

Terraza-jardín con la chimenea de ventilación

View of the roof garden with the ventilation chimney

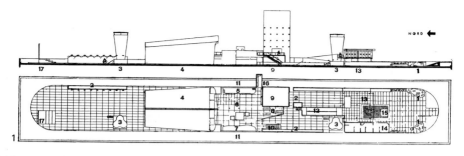

1 Planta y sección terraza-jardín	1 Plan and section of the roof garden
1 Montañas artificiales	1 Artificial hills
2 Jardineras	2 Planters
3 Chimeneas ventilación	3 Ventilation chimney
4 Gimnasio	4 Gymnasium
5 Solarium este	5 East solarium
6 Vestuarios y terraza superior	6 Changing rooms and upper terrace
7 Solarium oeste	7 West solarium
8 Tablas de hormigón	8 Concrete tables
9 Caja del ascensor	9 Lift shaft
10 Escalera	10 Stairs
11 Pista carreras 300 m	11 300 m running track
12 Rampa	12 Ramp
13 Guardería infantil	13 Kindergarten
14 Jardín infantil	14 Children's garden
15 Piscina	15 Swimming pool
16 Balcón	16 Balcony
17 Pared «rompe-brisas» (Teatro)	17 Windbreak wall (theatre)
2 Sección transversal	2 Transverse section
3 Tres pisos con calle interior	3 Three floor plans with interior street

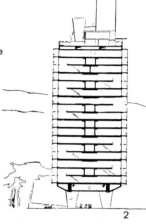

2

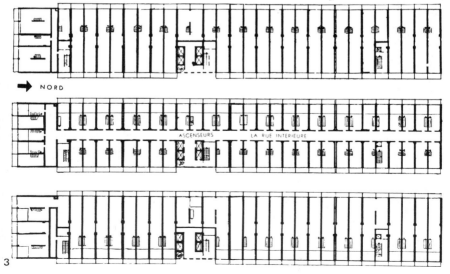

NORD

ASCENSEURS   LA RUE INTÉRIEURE

3

1 Vista del boulevard Michelet
2 Fachada sur
3 Dos secciones de orientación

1 View from the boulevard Michelet
2 View of the south facade
3 Two schematic sections

1

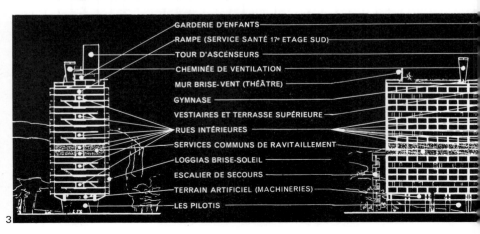

GARDERIE D'ENFANTS
RAMPE (SERVICE SANTÉ 17e ETAGE SUD)
TOUR D'ASCENSEURS
CHEMINÉE DE VENTILATION
MUR BRISE-VENT (THÉÂTRE)
GYMNASE
VESTIAIRES ET TERRASSE SUPÉRIEURE
RUES INTÉRIEURES
SERVICES COMMUNS DE RAVITAILLEMENT
LOGGIAS BRISE-SOLEIL
ESCALIER DE SECOURS
TERRAIN ARTIFICIEL (MACHINERIES)
LES PILOTIS

3

194

4 En negro la Unité; en blanco la ocupación del suelo para la misma población alojada en una ciudad-jardín horizontal

4 The Unité is shown in black; the white figure shows the area occupied by the same population in a horizontally laid-out garden city

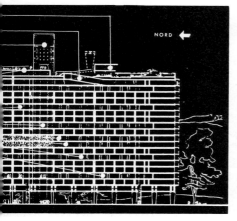

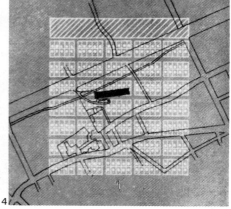

1 Elemento de hormigón vibrado. Los revestimientos de las fachadas así como los «brise-soleil» son elementos prefabricados de hormigón vibrado.
2 Vista de un apartamento de dos pisos; La galería funciona como «brise-soleil».

1 Vibrated concrete element. Both the cladding of the facades and the *brise-soleils* are constructed of precast vibrated concrete
2 View of the interior of a two-level apartment; the gallery acts as a *brise-soleil*

Plano de apartamentos tipo para todas las Unités
1 Sección longitudinal de una «pareja de
   viviendas». Una calle interior comunica los
   apartamentos
2 Plano de un apartamento tipo
   1 Calle interior
   2 Entrada
   3 Sala con cocina
   4 Habitación padres, cuarto de baño
   5 Estanterías, armarios empotrados, tabla de
      planchar, ducha niños
   6 Habitaciones niños
   7 Hueco de la sala

Plan of the apartment types for all of the Unités
1 Longitudinal section through a «pair of
   apartments». An interior street communicates the
   entire complex
2 Plan of a typical apartment
   1 Interior street
   2 Entrance
   3 Living area with kitchen
   4 Parents' bedroom, bathroom
   5 Shelf units, fitted cupboards, ironing board,
      children's shower
   6 Children's bedrooms
   7 Void over the living area

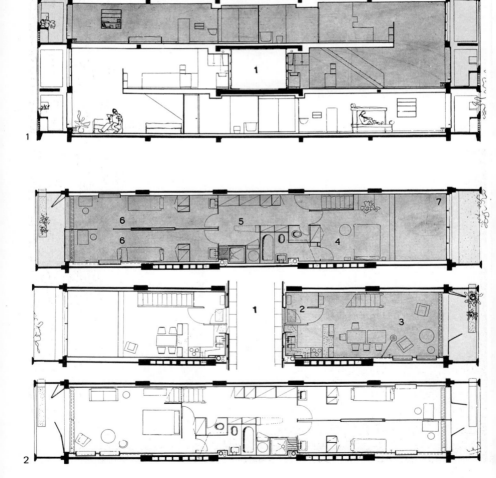

1952 Unité d'habitation de Nantes-Rezé

La construcción es de hormigón precomprimido.
Cada apartamento constituye una caja de hormigón
precomprimido colocada sobre otra igual y al lado
de otras.
1 Plano a ras de suelo
2 Estanque bajo el edificio
3 Relieve de la escalera

1952 Unité d'habitation in Nantes-Rezé

The construction is of precompressed concrete.
Each apartment is a concrete box set on top of an
identical concrete box, with other concrete boxes on
either side.
1 Ground floor plan
2 The pond beneath the building
3 The relief on the stairwell

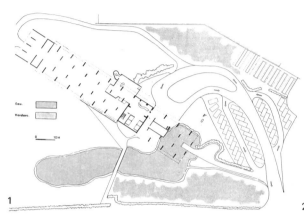

1

2

3

1957 Unité d'habitation de Briey-en-Forêt
1 Fachadas sur y este

1957 Unités d'habitation en Meaux
Se construyó una Unité.
2 Plano del conjunto con las cinco Unités y las dos «Torres de los solteros»
3 Fórmula habitual de construcción de viviendas para familias
4 Las cinco Unités que alojan la misma población en ciudades verticales.

1957 Unité d'habitation en Berlín (Colina olímpica, Charlottenburg)
Con ocasión de la gran exposición internacional celebrada en el Parque de Tiergarten, la ciudad de Berlín quiso exponer una unité d'habitation de 400 apartamentos para cerca de 2 000 personas.
5 Plano de conjunto
6 Las fachadas norte y oeste

1962 Unité d'habitation en Firminy
(ver pp. 154-156)
7 Fachadas norte y oeste

1957 Unité d'habitation in Briey-en-Forêt
1 View of the south and east facades

1957 Unités d'habitation in Meaux
Only one unité was built.
2 Plan of the complex with the five unités and the two tower blocks for single people
3 Plan of a traditional low density housing development
4 Plan of the five unités, housing the same population in vertical cities

1957 Unité d'habitation in Berlin (Heilsberger, Charlottenburg)
To mark the occasion of the international exhibition being held in the Tiergarten park, the city of Berlin wanted to put on show a unité d'habitation of 400 apartments for almost 2,000 residents.
5 Plan of the complex
6 View of the north and west facades

1962 Unité d'habitation in Firminy
(see pp. 154-156)
7 View of the north and west facades

1

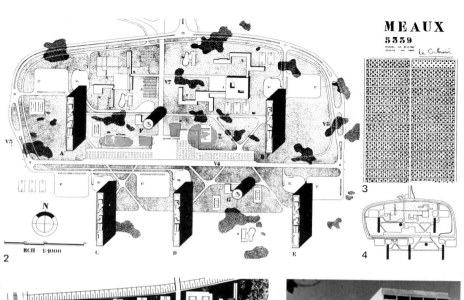

MEAUX
5339
PARIS, LE 8-2-56
DESSINE PAR TOBITO

Le Corbusier

2   ECH 1:4000

N

A   C   D   E   V3   V4   V7   V8

3

4

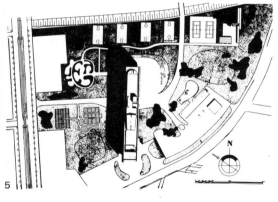

5   N

6

1950 Chandigarh, nacimiento de la nueva capital de Pendjab (India)

En Chandigarh, la nueva capital de Pendjab, se ha construido sin cesar, durante varios años. La primera etapa permitiría alojar a unas 150 000 personas e incluiría los edificios del Gobierno. La segunda etapa haría crecer la población hasta 500 000 habitantes.

Le Corbusier fue encargado de construir el palacio del Capitolio. En su calidad de consejero, asumió la dirección, entre otras cosas, del estudio de la urbanización de la futura ciudad.

Es preciso señalar que el programa según el que se construía Chandigarh, fue establecido por altos funcionarios, que habían realizado sus estudios en Oxford, y por lo tanto, que habían conocido y muy a menudo amado la civilización inglesa. Chandigarh es una ciudad horizontal. El oxforniano programa comprendía trece categorías distintas de vivienda individual, desde la destinada al peonaje hasta la de los ministros. Hasta entonces los peones no tenían alojamiento. Ahora cuentan con habitáculos concebidos y construidos con la misma atención dedicada a los ministros.

No se construyó Roma en un día. En la India las disponibilidades mecánicas son demasiado escasas como para pensar en disponer un acondicionamiento de aire, durante las épocas peligrosas. Es la naturaleza india la que impone entonces su regla al urbanista: las noches frescas. Las noches lo son y los habitantes duermen sobre la hierba, frente a las casas o en los tejados a los que se llevan sus camas (que pesan de 3 a 5 kg).

Le Corbusier llamó, en 1951, a Pierre Jeanneret junto a él, en cuanto empezaron los estudios de la ciudad de Chandigarh; su misión era la de controlar con la mayor meticulosidad todos los edificios diseñados por Le Corbusier, lo que hizo según tuvo ocasión de declarar en diversas ocasiones, respetando exactamente los planos elaborados en París.

(Pierre Jeanneret murió en Ginebra el 4 de diciembre de 1967.)

1950 Chandigarh, the birth of the new capital of the Punjab (India)

In Chandigarh, the new capital of the state of the Punjab, the building work was carried out over a number of years. The first phase provided accomodation for some 150,000 people, along with government buildings. The second phase was to bring the population up to 500,000. Le Corbusier was commissioned to construct the Capitol building. In his role as consultant, he took charge, amongst other things, of the study for the urban design scheme for the future city.

It should be pointed out that the programme to which Chandigarh was built was drawn up by senior civil servants who had studied at Oxford University, and had therefore considerable knowledge of, and often love for, British culture. Chandigarh is a horizontal city. The Oxford-style programme includes thirteen different categories of individual residence, for occupants ranging from labourers to government ministers. Prior to this, the lowest grades of labourer had no permanent housing; now they were to have houses designed and built with the same attention as those of the most senior officials.

Rome was not built in a day. In India, mechanical resources were so scarce as to make air-conditioning impossible, even in the hottest part of the year. The natural conditions of the country therefore imposed their imperative on the urban planner: in order to keep cool at night the people slept outside, on the grass in front of their houses, or took their bedding (weighing from 3 to 5 kg) up onto the roof.

In 1951, Le Corbusier called for Pierre Jeanneret to come out and join him, at the start of the studies for the city of Chandigarh: his job was to supervise, with the utmost meticulousness, construction of the buildings designed by Le Corbusier, respecting, as he was led to remark on several occasions, the exact detail of the plans drawn up in Paris.

(Pierre Jeanneret died in Geneva, on the 4th of December, 1967.)

Plan definitivo (abril de 1951).
 1 Capitolio
 2 Centro comercial
 3 Hoteles, restaurantes
 4 Museo, estadio
 5 Universidad   6 Mercado
 7 Bandas con vegetación que atraviesan los sectores
 8 Calle mercantil o V4 de los sectores
 9 Valle de esparcimiento
10 Industria y estaciones
A partir del mercado (6), futura ampliación de la ciudad (en total 500 000 habitantes).

Definitive plan (April 1951)
 1 Capitol
 2 Commercial centre
 3 Hotels, restaurants
 4 Museum, stadium
 5 University   6 Market
 7 Landscaped areas running through the different sectors
 8 Commercial street or V4
 9 Recreational zone
10 Industry and stations
Further expansion of the city (total population: 500 000) is based on the Market (6)

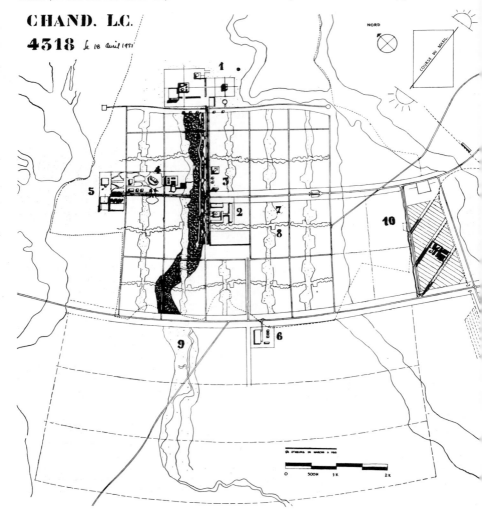

CHAND. LC.

4318 *le 18 avril 1951*

Plano de situación del Capitolio
1 Parlamento
2 Secretariado
3 Palacio del gobernador
4 Palacio de Justicia y anexos
5 Torre de las Sombras y Fosa de la Meditación
6 Monumento a los Mártires
7 Monumento de la Mano Abierta
C Club
L Lago artificial
S Sectores

Site plan of the Capitol
1 Parliament
2 Secretariat
3 Governor's residence
4 Supreme Court building and annexes
5 The Tower of Shadows and the Pit of Reflection
6 Monument to the Martyrs
7 Monument of the Open Hand
C Clubhouse
L Artificial lake
S Sectors

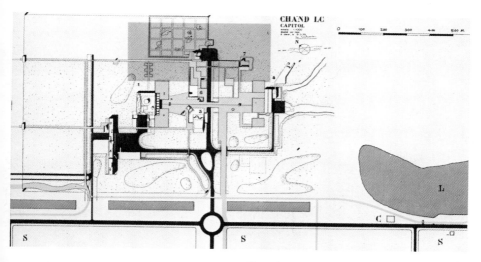

Un sector:
M Mercado del sector
E Escuelas
S Deportes

Plan of one sector
M Market for the sector
E Schools
S Sports

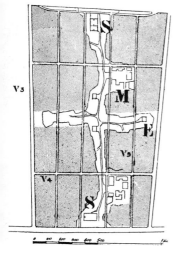

Un sector con la dimensión de 800/1 200 m (244'/ 365') podrá albergar de 1000 a 20 000 habitantes. Cada sector está rodeado por una V3.
La V4 es la calle comercial. La V5 parte de la V4 y distribuye los coches en el interior de los sectores. La V6 conduce a las puertas de las casas. La V7 va destinada a la juventud y a los distintos deportes.

A sector measuring 800/1200 m (244'/365') can accomodate anything from 1,000 to 20,000 people. Each sector is bounded by a V3 route. The V4 is the main commercial street, and the V5 runs off this, distributing cars in the interior of the sector. The V6 runs up to the front doors of the houses. The V7 is intended for young people and various kinds of sporting activities.

El lago artificial Sukhana con el Capitolio al fondo.

View of the Sukhana artificial lake with the Capitol in the background

1 Planta tipo
2 Sección del bloque
  ministerial
3 Terraza-jardín
4 Las cristaleras
  denominadas
  «ondulatorias» se
  crearon para ahorrar
  los gastos de
  cerrajería de las
  ventanas
5 Fachada sudoeste

1 Typical floor plan
2 Section through the
  ministerial block
3 Roof garden
4 The so-called
  «undulating windows»
  were devised to save
  on costs of window
  fittings
5 View of the south-
  west facade

1958 Secretariado (edificio ministerial)
El Secretariado (edificio ministerial) tiene 254 m (846 1/2') de largo por 42 m (140') de alto. Los ministerios se encuentran agrupados en un pabellón central.

1958 Secretariat (ministerial building)
The Secretariat (or ministerial building) is 254 m (846 1/2') long and 42 m (140') high. The various ministries are grouped together in a central pavilion.

4

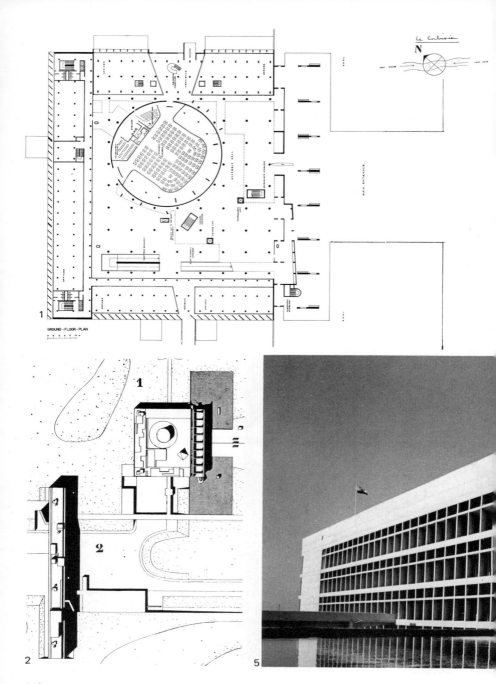

1

GROUND · FLOOR · PLAN

2

5

1961 El palacio de la Asamblea

La sala está formada por un cascarón hiperboloide.

1 Planta baja
2 Plano de situación
  1 Asamblea
  2 Secretariado
3 Fachada sudeste (entrada)
4 Sección del Palacio de la Asamblea
5 Vista general del Palacio de la Asamblea con el estanque artificial

1961 Assembly building

The great hall is formed by a hyperbolic structure.

1 Ground floor plan
2 Site plan
  1 Assembly
  2 Secretariat
3 South-east facade (entrance)
4 Section through the Assembly building
5 General view of the Assembly building showing the artificial pool

3

4

1 Palacio de la Asamblea: Portal de la entrada principal, revestido de cerámica esmaltada, visto desde el exterior
2 Sala del Parlamento muy estudiada desde el punto de vista acústico: reflexión, absorción. Utilización de la electrónica.
No existe tribuna para oradores, ya que cada uno interviene desde su propio asiento. (Estudio realizado en colaboración con Philips.)
3 Vista parcial del hall de la Asamblea, en la planta baja.

1 The Assembly building: the great door of the main entrance, clad in glazed ceramic tiles, seen from the exterior
2 The Parliament Chamber, studied in detail as regards the acoustics and the reflection and absorption of sound, incorporates electronic equipment. There is no podium, and speakers address the house from their seats. (Technical studies carried out in collaboration with Philips)
3 Detail of the ground floor of the Assembly hall

3

1956 Palacio de Justicia

1 Primeros croquis realizados en 1951.
El palacio se empezó a utilizar en marzo de 1956
2 Boceto de la fachada principal con el monumento de la Mano Abierta al fondo.

1956 Supreme Court building

1 First sketches done in 1951. The Law Courts were in use by March 1956
2 Sketch of the main facade showing the Open Hand monument in the background

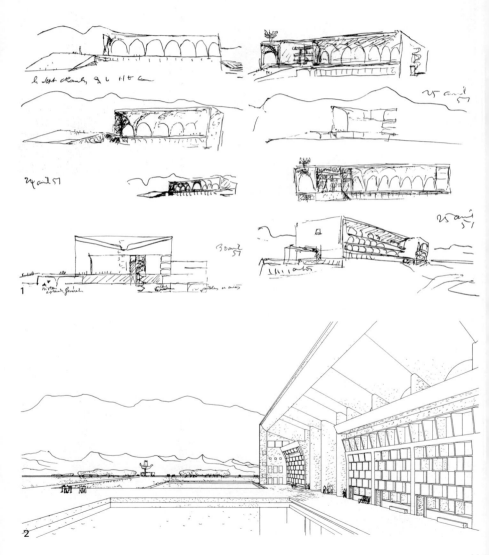

La fachada que da a la explanada del Capitolio con uno de los tres grandes estanques

View of the facade onto the Capitol esplanade, with one of the three large pools

La fachada posterior

View of the rear facade

1 Rampas de acceso a los pisos del Palacio de Justicia
2 Dibujo de la fachada principal, con la entrada
3 Sección
4 Planta principal, con la sala de espera y las nueve salas del tribunal

1 Detail of the access ramps leading up to the different floors of the Supreme Court building
2 Sketch of the main facade with the entrance
3 Section
4 Main floor plan, with the waiting room and nine courtrooms

5 Vista general de la gran explanada entre el Parlamento y el Palacio de Justicia. En medio de la misma, el monumento a los Mártires

5 View of the great esplanade between the Parliament building and the Supreme Court building, with the monument to the Martyrs in the middle

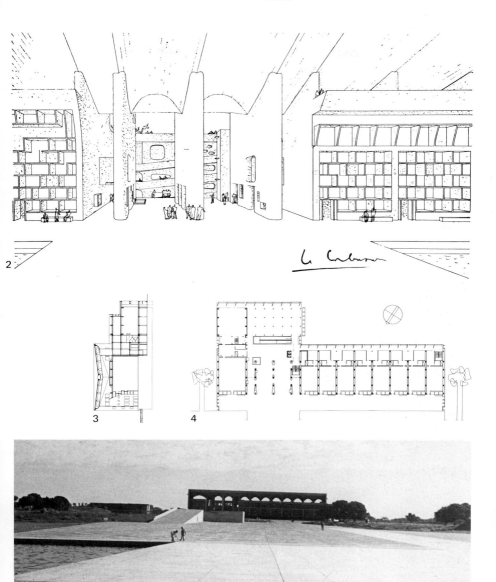

2

3   4

5

1953 El Palacio del Gobernador

Los planos para la construcción del palacio del Gobernador estaban listos. Desgraciadamente, el Gobernador de Pendjab prefería vivir en el barrio de chalets de Chandigarh. Pero ello no constituyó un obstáculo para la ejecución del palacio según los planos de Le Corbusier; bastó con cambiar el destino que se iba a dar a los locales. El palacio del Gobernador se transformó en museo del Conocimiento, albergando cuatro institutos: de técnica, economía, sociología y ética.

1 Sección
2 Planta del primer piso
3 Fachada sudoeste

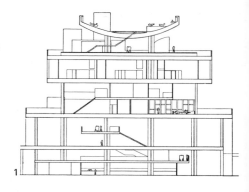

1953 Governor's residence

With the construction drawings for the new Governor's residence completed, the Governor unfortunately announced that he preferred to live in a residential suburb. However, this was no impediment to the building of the official residence according to Le Corbusier's plans; all that was required was a change of use. The Governor's residence was converted into a Museum of Knowledge, housing four Institutes, of technology, economics, sociology and ethics, respectively.

1 Section
2 First floor plan
3 View of the south-west facade

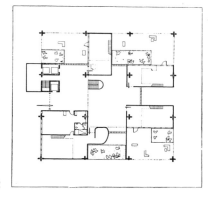

Croquis del interior del palacio   Sketches of the interior of the residence/museum

1952 La Mano Abierta

También los planos del monumento de la Mano Abierta estaban listos. Una arquitecto india tuvo la excelente idea de lanzar un llamamiento a todos los arquitectos del mundo para que contribuyeran a financiar este monumento que debía ser un recuerdo de Le Corbusier.

El texto siguiente fue escrito por Le Corbusier un mes antes de su muerte: «...este símbolo de la Mano Abierta, para recibir las riquezas creadas, para distribuirlas a los pueblos del mundo, debe ser el símbolo de nuestra época. Antes de verme en el cielo, entre las estrellas de Dios, me gustaría ver en Chandigarh, ante el Himalaya que se recorta en el horizonte, esta Mano Abierta que para mí, para el viejo Corbu, marca el final de una etapa ya recorrida. A usted André Malraux, a todos ustedes, mis colaboradores, a ustedes, amigos míos, les pido ayuda para poder realizar este símbolo de la Mano Abierta, bajo el cielo de Chandigarh, ciudad querida por Nehru, discípulo de Gandhi.»

1952 The Open Hand

The plans for the Open Hand monument were also ready, when an indian architect had the excellent idea of appealing to the architects of the world for contributions towards the financing of this monument, which was to evoke the memory of Le Corbusier.

The following lines were written by Le Corbusier a month before his death: «... this symbol of the Open Hand, receiving the riches of creation in order to distribute them amongst the peoples of the world, ought to stand as the symbol of our time. Before I find myself in Heaven, amidst the stars of God, I would like to see, in Chandigarh, with the Himalayas rising up on the horizon, this Open Hand which for me, old Corbu, marks the end of a stage already travelled. From you, André Malraux, from all of you — my colleagues, my friends — I ask for help to be able to raise this symbol of the Open Hand, under the skies of Chandigarh, that city beloved of Nehru, disciple of Ganchi.»

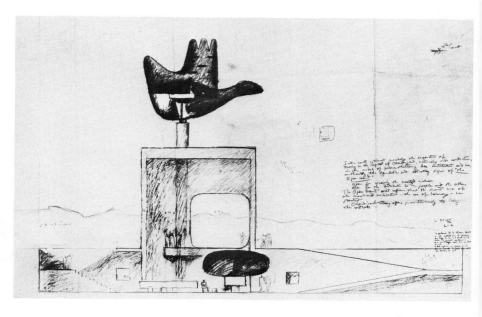

1964 Club

Le Corbusier quería evitar la construcción de edificios que estuvieran situados al norte del Capitolio, para preservar así la vista sobre el vasto paisaje. No obstante, se vio que el club era necesario; por ello Le Corbusier lo situó 3 m (10') por debajo del nivel de la calle, de modo que no pudiera ser visto desde el paseo. El edificio es de hormigón armado, sobrio y parece confundirse con el paisaje gracias a sus volúmenes sencillos.

1 Sección
2 Vista desde el lago Sukhna

1964 Clubhouse

Le Corbusier wanted to avoid the construction of buildings to the north of the Capitol in order to preserve the views out over the vastness of the landscape. Nevertheless, he saw that the Clubhouse was necessary: he therefore set it 3 m (10') below the level of the street, in such a way that it would not be seen by passersby. The building is sober, of reinforced concrete, and seems to blend into the landscape by virtue of its simple volumes.

1 Section
2 View from the Sukhna lake

1

2

1963 Sector 17 (centro de la ciudad)

Casi deshabitado, pero lleno de animación durante el día gracias a las numerosas tiendas, bazares, restaurantes, cafés, bancos y grandes almacenes. Le Corbusier adoptó un sistema uniforme para todos los edificios; los planos eran lo bastante flexibles para adaptarse a las diversas necesidades administrativas, comerciales, hostelería, etc.

1 Planta tipo
2 Fachada
3 Sección
4 Plaza principal

1963 Sector 17 (the city centre)

This sector is almost unpopulated, yet full of life during the day thanks to its numerous shops, bazaars, restaurants, cafés, banks and large stores. Le Corbusier adopted the same uniform system for all the buildings: the plans were sufficiently flexible to adapt to the various different programmes, administrative, commercial, catering, etc.

1 Typical floor plan
2 Facade
3 Section
4 View of the main square

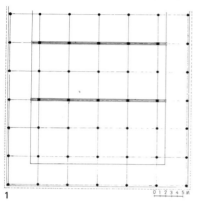

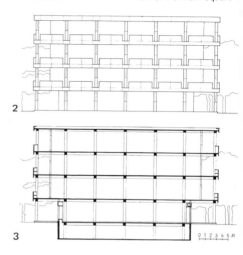

1964 El Centro de las Artes de Chandigarh

El plano de situación muestra la futura disposición.
Hasta el presente se han llevado a término: el
museo (C) y una parte de la escuela de Arquitectura
y Bellas Artes (E).

Plano de situación

A Teatrillo
B Pabellón de exposiciones
C Museo
D Teatro espontáneo
E Colegio de Arte (el ala occidental no está terminada)
P Aparcamiento
 1 Espectadores
 2 Escenario
 3 Estanque
 4 Acceso al pabellón por la rampa
 5 Entrada al museo
 6 Gran vestíbulo
 7 Rampa
 8 Archivos
 9 Sala de conferencias
10 Patios interiores
11 Entrada del colegio
12 Estanques

1964 The Chandigarh Arts Centre

The site plan shows the intended future layout of the
complex. At the time of writing, construction of the
Museum (C) and part of the School of Art and
Architecture (E) had been completed.

Site plan

A Little theatre
B Exhibition gallery
C Museum
D Impromptu theatre
E School of Art (the west wing had not been
   completed)
P Car park
 1 Spectators
 2 Stage
 3 Ornamental pool
 4 Access to the gallery by way of the ramp
 5 Entrance to the museum
 6 Large entrance hall
 7 Ramp
 8 Archives
 9 Lecture hall
10 Interior courtyards
11 Entrance to the School
12 Ornamental pools

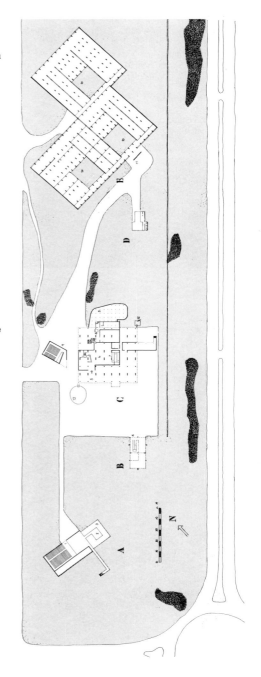

1964 Museo y Galería de Bellas Artes

Le Corbusier construyó museos parecidos en Ahmédabad (India) en 1952 y en Tokio en 1956. En la parte occidental hay una sala de conferencias de 200 personas de capacidad.

1 Fachada sur, a la izquierda de la sala de conferencias
2 Sección del museo
   5 Pasillo cubierto
   6 Gran vestíbulo   8 Archivos
3 Gran hall. La luz es difusa y agradable

1964 Museum and Art Gallery

Le Corbusier built similar museums in Ahmedabad (India) in 1952 and in Tokyo in 1956. The western part of the building contains a lecture hall with capacity for 200 people.

1 View of the south facade, with the lecture hall on the left
2 Section through the Museum
   5 Covered passageway
   6 Great entrance hall   8 Archives
3 View of the great entrance hall. The light is pleasantly diffused

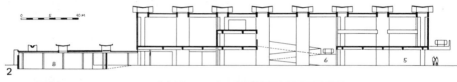

1964 La Escuela de Bellas Artes y Arquitectura

Le Corbusier dispuso que estas escuelas y el museo se construyeran con ladrillos de color marrón-rojizo, muy frecuentes en la India. Quería evitar con ello que las construcciones del Capitolio tomaran demasiada relevancia en relación con los grandes edificios representativos de hormigón.

1 Fachadas sur y oeste
2 Sección longitudinal
3 Aspecto de uno de los talleres

1964 School of Fine Art and Architecture

Le Corbusier decided that the School of Art and the Museum should be built of a reddish-brown brick very frequently used in India; in so doing, he wanted to ensure that these Capitol buildings would not assume too much importance in relation to the great representative constructions in concrete.

1 View of the south and west facades
2 Longitudinal section through the school
3 View of the interior of a studio

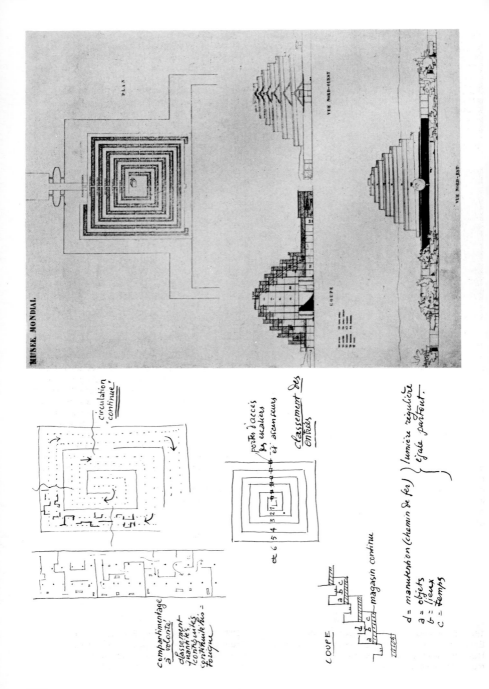

MUSÉE MONDIAL.

PLAN

VUE NORD-OUEST

VUE NORD-EST

COUPE

circulation "continue"

compartimentage à volonté
classement quantités continuelles continuité = logique

porte d'accès les escaliers et ascenseurs

classement des entrées

et 6 5 4 3 2 1

COUPE

magasin continu

d = manutention (chemin de fer)
a = objets
b = lieux
c = temps

lumière régulière étale partout.

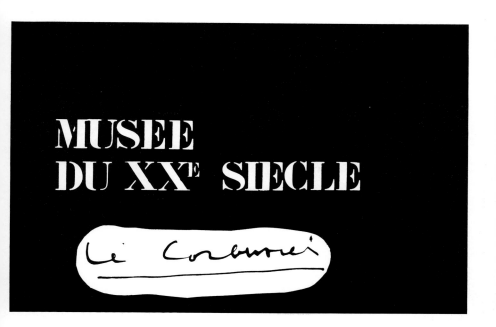

MUSEE DU XXᴱ SIECLE

1939 Museo de Crecimiento Ilimitado, proyecto
«...el principio de este museo es que está construido sobre pilotis, llegándose a nivel del suelo por
el mismo centro del edificio en donde se encuentra
la sala principal. La espiral cuadrada que arranca de
este punto permite unas rupturas, que favorecen
extraordinariamente la atención que se exige de los
visitantes. La manera de orientarse la proporcionan
los locales a media altura, que forman una esvás-
tica. El elemento modular de unos 7 m (23') de
ancho por 4,5 m (15') de alto, permite asegurar una
absoluta regularidad de la iluminación de las paredes de la espiral cuadrada. Para hacer comunicar
diversos locales, se pueden practicar unas simples
interrupciones en estas paredes, logrando esta
comunicación, abriendo perspectivas, y permitiendo
una multitud de combinaciones...».

1939 The Limitless Museum project
«. .. the basic principle of this museum is that it is
built on pilotis, arriving at ground level in the very
centre of the building, where the main gallery is
located. The square spiral which starts off from this
point allows for certain breaks which are extremely
positive in terms of the attention demanded of the
visitor. Orientation is aided by the half-height
spaces, laid out in a swastika formation. The
modular element 7 m (23') wide by 4,5 m (15') in
height permits a perfect regularity in the illumination
of the walls of the square spiral. Simple openings
in the walls make it possible to communicate
different galleries, open up sightlines and create a
whole range of new combinations...»

1929 Museo mundial de Ginebra, proyecto
El visitante entra en el museo por su parte superior.
Hay tres naves que corren paralelamente, sin para-
mento alguno que las separe.

1929 World Museum in Geneva, project
The visitor enters through the upper part of the
museum. There are three galleries running in
parallel, without walls to separate them.

1931 Museo de Arte Contemporáneo, París, proyecto

He aquí una carta de Le Corbusier a Christian Zervos, editor de «Cahiers d'art».

1931 Museum of Contemporary Art in Paris

Le Corbusier sent the following letter to Christian Zervos, publisher of «Cahiers d'art»:

Mon cher Zervos,

Laissez-moi vous apporter ma contribution à l'idée de la création d'un musée d'art moderne à Paris. Ce n'est pas un *projet* de musée que je vous donne ici, pas du tout. C'est un *moyen* d'arriver à faire construire à Paris un musée dans des conditions qui ne soient pas arbitraires, mais au contraire suivant des lois naturelles de croissance qui sont dans l'ordre selon lequel se manifeste la vie organique: un élément étant susceptible de s'ajouter dans l'harmonie, l'idée d'ensemble ayant précédé l'idée de la partie. Voici plusieurs années que cette idée est dans ma tête.

Voici en croquis hâtifs, l'image d'une conception sereinement née.

Le principe de ce musée est une *idée.* Elle serait brevetable... si *Cahiers d'.Art* veut prendre un brevet!

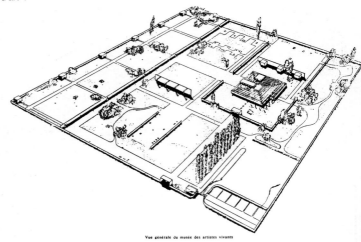

Vue générale du musée des artistes vivants

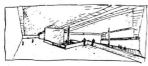
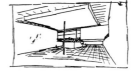
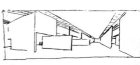

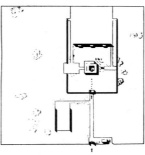

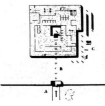

Le musée peut être commencé sans argent; à vrai dire avec 100.000 francs on fait la première salle.

Il peut se continuer par une, deux, quatre salles nouvelles, le mois suivant ou deux ou quatre années après, à volonté.

Le musée *n'a pas de façade;* le visiteur ne verra jamais de façade; *il ne verra que l'intérieur du musée.* Car il entre au cœur du musée par un souterrain dont la porte d'entrée est ouverte dans un mur qui, si le musée arrivait à une étape de croissance magnifique, offrirait à ce moment le neuf millième mètre de cimaise.

. Poteaux standard, cloisons-membranes fixes ou amovibles. plafonds standard. Economie maximum.

Le musée est extensible à volonté: son plan est celui d'une spirale; véritable forme de croissance harmonieuse et régulière.

Le donateur d'un tableau pourra donner le mur (la cloison) destinée à recevoir son tableau: deux poteaux, plus deux sommiers, plus cinq à six poutrelles, plus quelques mètres carrés de cloison. Et ce don minuscule lui permettra d'attacher son nom à la salle qui abritera ses tableaux.

1 Croquis del caracol. «...el museo puede
   empezarse sin dinero; a decir verdad, con
   algunos centenares de francos se construye la
   primera sala. Luego puede continuarse con una,
   dos o cuatro nuevas salas, al mes siguiente,
   dos años más tarde o cuatro; cuando se
   quiera...».
   El museo está construido sobre pilotis; el acceso
   se hace a nivel de suelo.
2 Vista aérea del museo.

1 Sketch of a snail. «... the museum could be
   started without money: the truth is, a few hundred
   francs would be enough to construct the first
   gallery. One, two or four new galleries could then
   be added the following month, or two years later,
   or four; whenever they were wanted...»
   The museum is built on pilotis, with the entrance
   at ground level.
2 Aerial view of the model

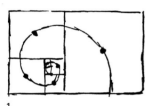

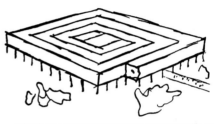

1

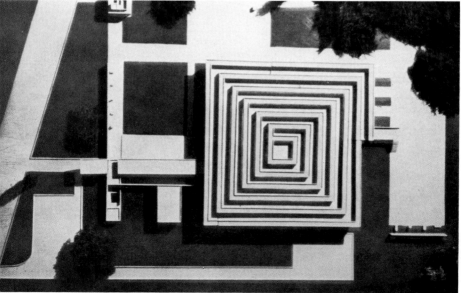

2

1950 «Ampliaciones» del Museo de Crecimiento Ilimitado, proyecto

La circulación dentro del museo está estudiada para que el espectador pase a través de espacios muy diversos. La exposición se cubre con dos parasoles metálicos cuadrados [14 m (46') de lado].
El pabellón de exposiciones de Estocolmo (p. 141) y el Centro Le Corbusier de Zurich (p. 142), son una consecuencia directa de los estudios realizados para las «ampliaciones» del Museo de Crecimiento Ilimitado.

1950 «Extensions» to the Limitless Museum, project

Circulation within the museum has been worked out in such a way that the visitor passes through a variety of very different spaces. The exhibition galleries are covered by two square metal sunshades (14 m × 14 m) (46' × 46'). The art gallery in Stockholm (p. 141) and the Le Corbusier Centre in Zurich (p. 142) are direct consequences of the studies carried out for the «extensions» to the Limitless Museum.

C-C

Plan de l'étage supérieur et coupe

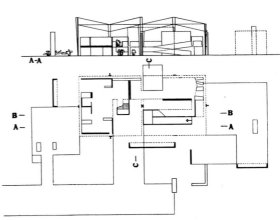

A-A

B—
A—

C

La circulation est étudiée pour faire passer le spectateur à travers espaces très variés: esplanade, espace couvert à double hauteur d'étage, espace plafonné à 2 m 26, jardins avec sculptures monumentales, rampe sous le parasol, espaces ouverts vers le haut ou vers le bas

Circulation has been designed in such a way, that visitors are guided through a great variety of spaces: along an esplanade, through a two-storied covered space, then lower spaces 2.26 m high, by a garden with monumental sculptures and over a ramp underneath the umbrellas

Die Zirkulation ist so angelegt, dass dem Besucher die Mannigfaltigkeit der räumlichen Gestaltung nahegebracht wird

B-B

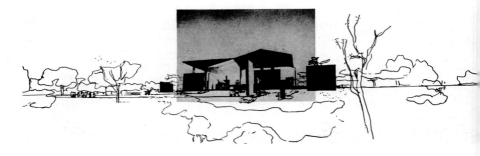

1962 Centro Internacional de arte, en Erlenbach, cerca de Frankfurt, proyecto

El proyecto prevé un «museo de crecimiento ilimitado», con posibles ampliaciones, un «teatrillo», un «teatro espontáneo», un pabellón de «exposiciones itinerantes», talleres y almacenes para el museo, y un jardín de esculturas.

1 Plano de situación
    1 Entrada y aparcamiento para 400 coches
    2 Paso para peatones y entrada
    3 Extensiones futuras
    4 Explanada y rampa de acceso a la terraza-jardín
    5 Teatrillo
    6 Teatro espontáneo
    7 Pabellón para exposiciones itinerantes
    8 Talleres y almacenes
    9 Jardín de esculturas
    10 Carretera Erlenbach-Aschaffenburg
2 Vista desde el río

1962 International Arts Centre in Erlenbach, near Frankfurt, project

The project envisages a «limitless» museum capable of future extension, a «little theatre» and an «impromptu theatre», a gallery for travelling exhibitions, workshops and storerooms for the museum and a sculpture garden.

1 Site plan
    1 Main entrance and car park for 400 cars
    2 Pedestrian walkway and entrance
    3 Future extensions
    4 Esplanade and access ramp to the roof garden
    5 Little theatre
    6 Impromptu theatre
    7 Gallery for travelling exhibitions
    8 Workshops and storerooms
    9 Sculpture garden
    10 Main Erlenbach-Aschaffenburg road
2 View of the complex from the river

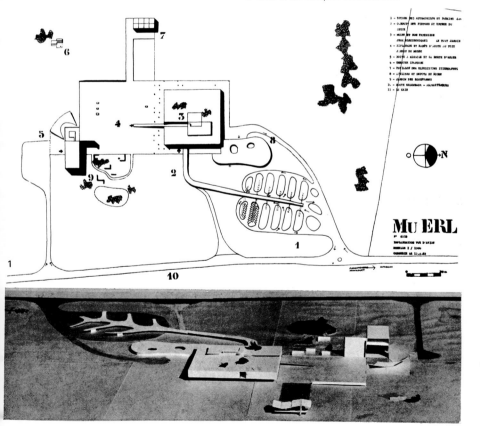

1957 Museo Nacional de Bellas Artes de Occidente, Tokio

Un rico japonés que residía en París, llamado Matsukata, poseía una magnífica colección de arte impresionista de pintura y escultura. En la guerra de 1939 la colección fue considerada por el gobierno francés como botín de guerra. Después de las necesarias conversaciones, la colección fue restituida al gobierno japonés, quien encargó el museo a Le Corbusier.

Se destinó al mismo una parcela de un parque en el que ya había un Museo de Historia Natural, de Bellas Artes, de Ciencias, etc...

Le Corbusier continuando estudios realizados 25 años antes, instaló una nueva versión del «museo de espiral cuadrada». Pero le añadió un pabellón para exposiciones temporales, y un edificio destinado al teatro y a las investigaciones teatrales de vanguardia, al que había bautizado desde hacía mucho tiempo «Teatrillo». El conjunto constituye, siguiendo los deseos del Gobierno japonés, un centro cultural. El centro es una prolongación de los estudios realizados en 1950 para los terrenos de la Porte Maillot, en París, que fracasaron por culpa de algunas impaciencias e intereses creados... El Museo propiamente dicho fue realizado por los arquitectos japoneses Maekawa y Sakakura.

Delante del edificio se extienden los tres forums pavimentados en piedra del Museo, del pabellón de exposiciones temporales y del teatrillo. Aunque coherente, la composición permite que cada edificio, fundamentalmente distinto uno de otro, conserve la totalidad de su carácter propio.

1 Primeros esbozos para el museo

1957 National Museum of Western Art in Tokyo

Mr Matsukata, a wealthy Japanese collector resident in Paris, had assembled a magnificent collection of Impressionist painting and sculpture, which the French government chose to regard as spoils of war after the outbreak of hostilities in 1939. With the end of the war, however, and after the necessary negotiations, the collection was handed over to the Japanese government, who commissioned Le Corbusier to design the museum to house it. A plot of land in the park which already contained the museums of Natural History, Fine Art, Science, and so on, was made available. Carrying on from studies undertaken 25 years earlier, Le Corbusier designed a new version of his «square spiral» museum, with the addition of a gallery for visiting exhibitions and a building for use as a theatre and avant-garde theatre workshop, the little theatre he had referred to for years as a *Boite à Miracles*. The complex as a whole, in line with the wishes of the Japanese government, amounted to a full-scale cultural centre. The centre is, in effect, a continuation of the studies done in 1950 for the Porte Maillot site in Paris, a scheme blocked by impatience and greed ... The Museum itself was actually built by Japanese architects Maekawa and Sakakura. The building is preceded by three forums, paved in the same stone as the Museum, the temporary exhibition gallery and the little theatre. Within its overall coherence, the composition allows each building, fundamentally distinct from its neighbours, to retain its own character to the full.

1 First sketches for the Museum

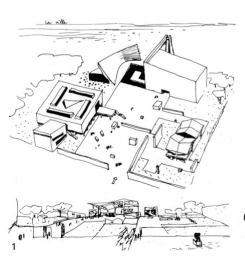

1

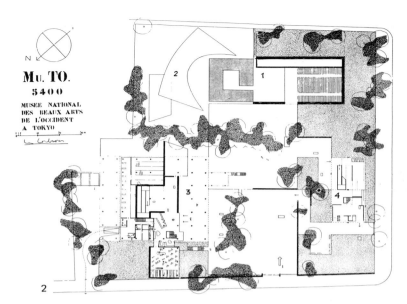

Mu. TO.
5400

MUSEE NATIONAL
DES BEAUX ARTS
DE L'OCCIDENT
A TOKYO

2

2 Plano de situación	2 Site plan
1 Teatrillo, 540 localidades	1 The little theatre, with 540 seats
2 Teatro al aire libre: anfiteatro	2 Open air theatre: the amphitheatre
3 Museo	3 Museum
4 Pabellón para exposiciones temporales o itinerantes relacionadas con la síntesis de las artes	4 Gallery for temporary or visiting exhibitions relating to the theme of artistic synthesis

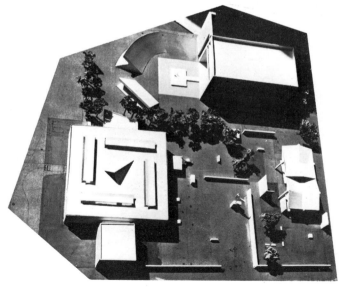

Maqueta

View of the model

Como puede verse la planta del siglo XIX va desde la planta baja hasta el techo. En la segunda planta o en la semiplanta tercera hay otras salas. Junto a la galería de descanso hay una gran ventana a cada lado del edificio, que va desde el segundo piso hasta el techo de la semiplanta del tercer piso.

1 Sección
2 Gran patio de exposición y entrada principal
3 Planta baja sobre pilotis

As can be seen from the section, the 19th century hall is full height, from floor to roof. There are other galleries on the second floor mezzanine, and the rest area on the first floor has a full height window at either side of the building.

1 Section
2 View of the large exhibition courtyard and the main entrance
3 View of the ground floor, raised on pilotis

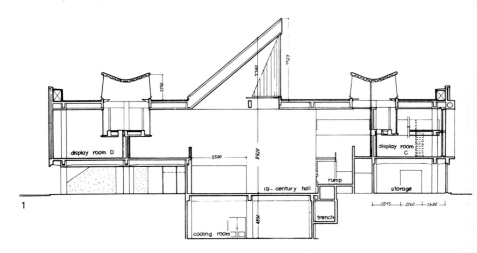

1

2

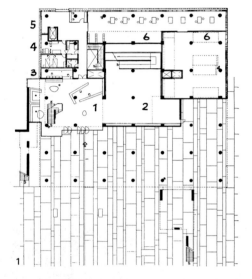

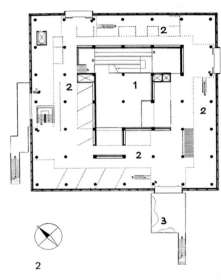

3 Semiplanta
  1 Hueco del vestíbulo
  2 Hueco de la sala de exposición
  3 Balcón
  4 Despacho
  5 Secretaría y Dirección
  6 Galería de descanso

4 Terraza-jardín
  1 Sheds
  2 Caja de escalera
  3 Jardineras
5 Fachadas norte y este
6 Entrada bajo los pilotis

3 Mezzanine floor plan
  1 Void over the vestibule
  2 Void over the exhibition gallery
  3 Balcony
  4 Office
  5 Secretary and Director's offices
  6 Rest area

4 Roof terrace
  1 Sheds
  2 Stairwell
  3 Planters
5 View of the north and east facades
6 The entrance beneath the pilotis

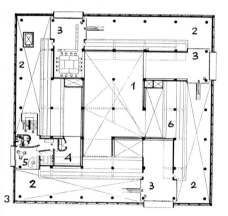

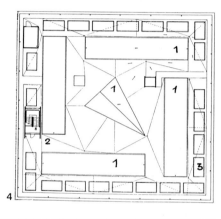

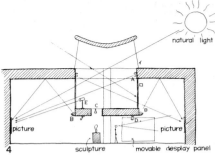

4   natural light / picture / picture / sculpture / movable desplay panel

1 Galería de iluminación
2,3 Sala de exposición n.° 1 en la 1.ª planta
4 Sección transversal
  1 Vidrio armado que absorbe el calor, paneles
    transparentes o translúcidos, deslizantes,
    contraventanas sobre rodamientos que
    permiten modular la luz
  A Lámpara fluorescente suplementaria
  B Como A
  C Proyector
  D Proyector móvil utilizado sobre los paneles de
    exposición móviles
  E Proyector móvil sobre el suelo, para efectos
    espaciales
5 Sobre la sala del siglo XIX hay una claraboya
  triangular y una cubierta en hormigón armado,
  con vidrio al norte. La rampa y pasamanos están
  forjados a pie de obra, mientras que el suelo
  de las dos salas de exposición y la rampa están
  recubiertas de placas asfálticas

1 Lighting gallery
2-3 Exhibition gallery 1 on the 1st floor
4 Transverse section
  1 Reinforced glass to absorb the sun's heat,
    sliding transparent or translucent panels, roller
    shutters to regulate the light
  A Supplementary fluorescent light
  B Supplementary fluorescent light
  C Projector
  D Movable projector for use with mobile exhibition
    panels
  E Movable standing projector for special effects
5 The 19th century hall has a sloping reinforced
  concrete roof, glazed on its north-facing side, with
  a triangular skylight. The ramp and balustrade
  are of exposed concrete, while the floors of the
  two exhibition halls and the ramp are covered in
  asphalt slabs

5

1956 Museo de Ahmedabad (India)

El museo está erigido sobre pilotis; se entra por debajo del edificio, en un patio abierto del cual parte una rampa a cielo abierto. Se penetra en una nave en espiral cuadrada formada por un doble tramo de 7 m (23'), entre pilares, espaciados también 7 m (23'): total 14 m (46'). Se tomaron todas las disposiciones precisas contra la excesiva temperatura reinante durante el día. Como es sabido, el museo no es de crecimiento ilimitado, pero sí está concebido para que pueda pasar de 50 m × 50 m de lado (166 1/2' × 166 1/2') (2500 m²) a 84 m por 84 m (280' × 280') (7000 m²), por medio de unos elementos estándars: un pilar tipo, una viga tipo, una losa tipo.

1956 Museum in Ahmedabad (India)

The museum is constructed on pilotis, with the entrance underneath the building proper, in an open courtyard from which an open-air ramp leads up to the interior, a hall in the form of a square spiral with a double 7 m (23') span, with pillars spaced at 7 m (23') intervals: the total span is therefore 14 m (46'). All of the necessary precautions have been taken to counter the extreme daytime temperature. While this is not, of course, a «limitless» museum, it has been designed to allow for its expansion from a square measuring 50 m × 50 m (166 1/2' × 166 1/2') (2,500 m²) to 84 m × 84 m (280' × 280') (7,000 m²), by means of the use of standard elements: a uniform pillar, a uniform beam, a uniform slab.

1 Planos de la planta baja
  1 Entrada
  2 Taquilla
  3 Kiosco
  4 Rampa de acceso al museo
  5 Aseos públicos
  6 Escalera al despacho del Conservador
  7 Biblioteca
  8 Almacén de libros
  9 Sala de conferencias
  10 Conferenciante
  11 Estrado
  12 Salida de emergencia
  13 Preparación de las exposiciones
  14 Almacén de colecciones
  15 Montacargas
  16 Mercancías
  17 Estanque
  18 Anexo antropología
  19 Arqueología
  20 Escalera
  21 Teatro al aire libre
  22 Escenario
  23 Orquesta
  24 Artistas
2 Fachada sur

1 Ground floor plans
  1 Entrance
  2 Ticket counter
  3 Kiosk
  4 Access ramp to the museum
  5 Public toilets
  6 Stairs to the Curator's office
  7 Library
  8 Book store
  9 Lecture hall
  10 Lecturer
  11 Platform
  12 Emergency exit
  13 Exhibition preparation area
  14 Store for the permanent collection
  15 Service lift
  16 Goods store
  17 Artificial pool
  18 Anthropology annexe
  19 Archaeology
  20 Stairs
  21 Open-air theatre
  22 Stage
  23 Orchestra pit
  24 Backstage area
2 View of the south facade

2

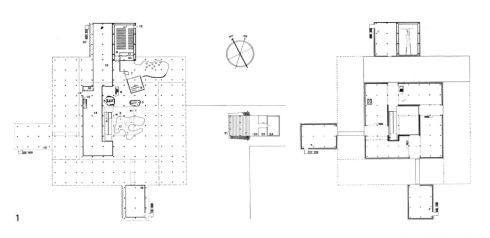

1

1965 Museo del siglo XX, Nanterre, proyecto

A principios del año 1965, Le Corbusier fue llamado por André Malraux, ministro de Cultura, para elaborar el proyecto de un museo del siglo XX. El taller de la calle de Sèvres se ocupó activamente de los anteproyectos. Luego vinieron las vacaciones de verano y el trágico fin que privó que la ciudad de París se beneficiara de una obra magistral del genial arquitecto. El croquis adjunto fue firmado por Le Corbusier el 29 de junio de 1965. Es el último plano dibujado por su mano. El plano de situación presenta la inicial concepción de Le Corbusier para los edificios de Nanterre. El ala redondeada debía albergar las siguientes escuelas: Arquitectura, Artes aplicadas, Cine, Radio, Televisión, Música. Para el Museo del siglo XX Le Corbusier, adoptó de nuevo la planta cuadrada (ver croquis adjunto).

1965 Museum of the 20th Century in Nanterre, project

Early in 1965, Le Corbusier was asked by André Malraux, then Minister of Culture, to devise a project for a Museum of the 20th Century. The studio in the rue de Sèvres set to work enthusiastically on the sketch designs. Then came the summer holidays, and the sad loss which deprived the city of Paris of a brilliant scheme by this exceptional architect. The sketch opposite was signed and dated by Le Corbusier on the 29th of June 1965, the last plan he ever drew. The site plan shows Le Corbusier's initial idea for the Nanterre buildings. The rounded wing was to house the following sections: Architecture, Applied arts, Cinema, Radio, Television, Music. For the Museum of the 20th Century, Le Corbusier adopted once more the square floor plan (see the sketch opposite).

Chandigarh. En 1970 se construyó el último museo diseñado por Le Corbusier.

Chandigarh. The last museum designed by Le Corbusier was built in 1970

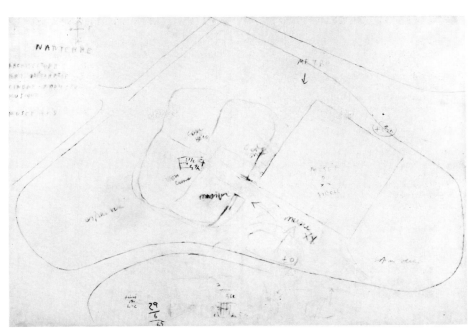

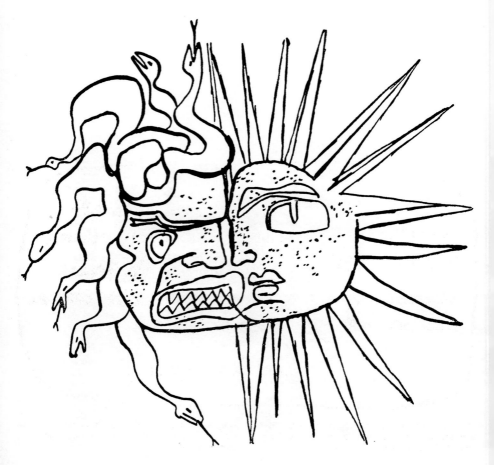

Obras de Le Corbusier

100 construcciones realizadas
170 proyectos no realizados
 65 proyectos de urbanismo

400 pinturas al óleo
  7 pinturas murales
200 litografías
 40 tapices
 50 esculturas (en colaboración con Savina)
 20 tipos de muebles y asientos (en colaboración
    con Pierre Jeanneret y Charlotte Perriand)

 50 libros
  7 libros de arte
    colaboraciones en dos revistas
    multitud de artículos en periódicos

Work by Le Corbusier

100 completed constructions
170 unbuilt projects
 65 urban design schemes

400 oil paintings
  7 murals
200 lithographs
 40 tapestries
 50 sculptures (in collaboration with Savina)
 20 furniture and chair designs (in collaboration
    with Pierre Jeanneret and Charlotte Perriand)

 50 books
  7 books of art
    co-editor of two magazines
    numerous contributions to journals and
    magazines

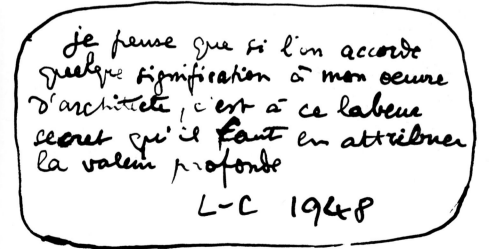

je pense que si l'on accorde
quelque signification à mon oeuvre
d'architecte, c'est à ce labeur
secret qu'il faut en attribuer
la valeur profonde

L-C 1948

«Pienso que si alguna significación se puede atribuir a mi obra de arquitecto, su valor profundo se debe, sobre todo, a esta secreta labor.»

«I think that if any significance is accorded to my work as an architect, its deeper value must be attributed to this secret labour.»

1887	Nacimiento de Charles-Edouard Jeanneret, el 6 de octubre. En 1920, adopción del pseudónimo de «Le Corbusier» (L-C, de aquí en adelante). Su padre y abuelo eran grabadores; la madre, cuyo nombre de soltera era Perret, era músico. La casa natal se encuentra en el n.º 38 de la calle de la Serre, en La Chaux-de-Fonds, ciudad de la región del Jura, en el cantón de Neuchâtel (Suiza). Los Jeanneret procedían del sur de Francia y se afirma que fueron albigenses (secta religiosa cuyo origen fue Albi, ciudad del departamento del Tarn). Se levantaron contra la Iglesia católica en los siglos XII y XIII y fueron perseguidos. En el siglo XVI, los Jeanneret emigraron al Jura suizo, con los hugonotes. En 1930 L-C obtuvo de nuevo la nacionalidad francesa. Estos datos tienen importancia, pues explican el temperamento y el espíritu meridional de L-C, su combatividad, su valor.

1887	Birth of Charles-Edouard Jeanneret, on October 6th. Adopts the pseudonym «Le Corbusier» in 1920 (henceforth LC). His father and grandfather were engravers; his mother, whose maiden name was Perret, was a musician. LC was born in the house at n° 38, rue de la Serre, in La Chaux-de-Fonds, in the Jura region in the canton of Neuchâtel (Switzerland). The Jeanneret's came originally from the south of France, and it is claimed that they were Albigensians (members of a religious sect originating in the town of Albi, in the *département* of Tarn). This sect rose against the Catholic church in the 12th and 13th centuries, and was persecuted as a result. In the 16th century, the Jeannerets emigrated to the Swiss Jura, along with the Huguenots. In 1930 LC was granted French nationality. These facts have relevance in that they explain LC's temperament, his southern spirit, his combative nature and his courage.

1900	L-C entra en la escuela de Artes y Oficios de La Chaux-de-Fonds, como alumno grabador y cincelador, donde recibió la determinante influencia de su maestro, el pintor Eplattenier, a quien apasionaba la pintura y la arquitectura.
1904	L-C se inscribe en los «Cursos Superiores de Decoración» fundados y dirigidos por Eplattenier.
1905	Primer encargo para una casa. El chalet Fallet, en La Chaux-de-Fonds.
1907	Primer viaje, bastante largo, al norte de Italia, en Toscana, donde L-C se impresionó vivamente con la cartuja de Ema en Galluzo; després visitó Siena y Ravena. Siguiendo su viaje, va a Budapest y Viena. Allí L-C trabaja algunos meses con Josef Hoffmann («Talleres Vieneses»), donde conoció las ideas renovadoras del arquitecto Adolf Loos.
1908	Viaja de Viena a Nuremberg, Munich, Nancy y París, donde llega por primera vez. Conoce en esta ciudad a Jourdain, Grasset, Sauvage, etc... Al parecer, en esta época visitó a Tony Garnier («Vers une Architecture»). Trabaja con Auguste Perret hasta la primavera de 1909, con quien se familiarizó en la utilización del hormigón armado.
1909	L-C vuelve a La Chaux-de-Fonds, donde contribuye a la fundación de los «Ateliers d'art reunis».

1900	LC enrols in the École des Arts et Métiers in La Chaux-de-Fonds as a student of engraving, where he is decisively influenced by his tutor, the painter Eplattenier, with a passion for painting and architecture.
1904	LC enrols in the «Higher Course in Decoration» founded and run by Eplattenier.
1905	First comission for a house: the chalet Fallet, in La Chaux-de-Fonds.
1907	First long journey abroad, through Tuscany, where LC is vividly impressed by the charterhouse of Ema in Galluzo; he next visits Siena and Ravenna, before going on to Budapest and Vienna, where he works for several months in the studio of Josef Hoffmann, becoming acquainted with the reforming ideas of the architect Adolf Loos.
1908	Travels from Vienna to Nüremberg, Munich, Nancy, and arrives in Paris for the first time; in Paris he mets Jourdain, Grasset, Sauvage and others. It is apparently at this time that he visits Tony Garnier («Vers une Architecture»). Works for Auguste Perret until spring 1909, becoming familiar with the use of reinforced concrete.
1909	LC returns to La Chaux-de-Fonds, where he helps found the «Ateliers d'art reunis».

1910 Esta institución le encarga un viaje de estudios a Alemania, para tomar contacto con los promotores del «Werk-Bund» alemán. Con motivo de ello se publicó el primer escrito de L-C «Etudes sur le mouvement d'art decoratif en Allemagne» (1912). Durante cinco meses L-C trabaja con el arquitecto Peter Behrens. Tiene contactos con Walter Gropius, Mies van der Rohe, Heinrich Tessenow, Wolf Dohrn, etc... En aquel mismo momento el único hermano de L-C, el músico Albert Jeanneret, reside en Alemania y trabaja en el Instituto de Rítmica de Jacques-Dalcroze en Hellera.

1911 Viaja a Europa central y a los Balcanes en compañía de Augusto Klipstein, en aquella época estudiante de Historia del Arte en Berna: Viena, Budapest, Rumania, Turquía, Grecia (estancia de tres semanas en el Monte Athos). Después, en octubre, viaja a Pompeya, Nápoles, Roma, Florencia. Las impresiones de este viaje fueron publicadas en una serie de artículos, en la «Feuille d'Avis de La Chaux-de-Fonds» y en 1966 en un libro llamado «Voyage d'Orient». L-C es profesor en la «Nouvelle Section de l'Ecole d'Art» en La Chaux-de-Fonds.

1912 Viajes a Zurich y a París. En el Salón de Otoño, L-C expone por primera vez una serie de bocetos y acuarelas de viaje (1907-1913) con el título de «Langages des pierres».

1914 Disolución de la «Nouvelle Section de l'Ecole d'Art» fundada por Eplattenier.

1917 L-C se instala definitivamente en París y vive en la calle Jacob hasta 1933; estudio en la calle Astor.

1918 Con ocasión de una manifestación del grupo «Art et Liberté», L-C conoce al pintor Amédée Ozenfant, con el cual escribe el artículo «Après le Cubisme». Exposición común de sus cuadros en la galería Thomas, en la calle de Penthièvre, en París.

1919 A finales de año se funda la revista «L'Esprit Nouveau» con Ozenfant, el poeta Paul Dermée y L-C. Redacción en la calle Cherche-Midi. Esta revista «de l'activité contemporaine» aparece desde 1920 hasta 1925 y alcanza la cantidad de 28 fascículos.

1920 Aparición del primer número de «L'Esprit Nouveau» el 15 de octubre. Exito. Los primeros artículos de L-C llevan el pseudónimo de Le Corbusier-Saugnier. Saugnier es el pseudónimo de Ozenfant que en poco tiempo ya no volvería a aparecer. L-C firma solo. El nombre de L-C fue tomado de uno de sus antepasados. En este año se une a Fernand Léger.

1910 The «Ateliers» sends him on a study trip to Germany, to make contact with the figures behind the German «Werk-Bund». This serves as the basis for LC's first published writing, «Études sur le mouvement d'art decoratif en Allemagne» (1912). LC spends five months working with the architect Peter Behrens. He is in contact with Walter Gropius, Mies van der Rohe, Heinrich Tessenow, Wolf Dohrn, and others. In this period, LC's only brother, the musician Albert Jeanneret, is also resident in Germany, working at Jacques-Dalcroze's Rhythmic Institute in Hellera.

1911 Travels in Central Europe and the Balkans in company with August Klipstein, then a student of Art History in Berne: Vienna, Budapest, Rumania, Turkey and Greece (a three-week stay on Mounth Athos). Then on, in October, to Pompeii, Naples, Rome, Florence. LC's impressions on this journey are published in a series of articles in the «Feuille d'Avis de La Chaux-de-Fonds», and collected in 1966 in the volume «Voyage d'Orient». LC appointed tutor in the «Nouvelle Section de l'École d'Art» in La Chaux-de-Fonds.

1912 Journeys to Zurich and Paris. At the Salon d'Automne LC shows for the first time a series of travel sketches and watercolours (1907-1913), under the title «Langages des pierres».

1914 Closure of the «Nouvelle Section de l'École d'Art» founded by Eplattenier.

1917 LC settles permanently in Paris, living in the rue Jacob until 1933, with a studio in rue Astor.

1918 At a demonstration organised by the «Art et Liberté» group, LC meets the painter Amedée Ozenfant, with whom he writes the article «Après le Cubisme». Joint exhibition of their paintings in the Galerie Thomas in the rue de Penthièvre, Paris.

1919 At the end of the year LC sets up the magazine «L'Esprit Nouveau» together with Ozenfant and the poet Paul Dermée, with its offices in rue Cherche-Midi. This review of «l'activité contemporaine» is produced from 1920 to 1925, with a total of 28 issues.

1920 The first issue of «L'Esprit Nouveau» appears on October 15th. The magazine is a success. LC's early articles are signed Le Corbusier-Saugnier, Saugnier being the pseudonym of Ozenfant, who soon ceases to contribute; the name Le Corbusier, originally adopted by one of LC's ancestors, appears on its own. In this year, LC gets together with Fernand Léger.

palacio de los Soviets. Congreso CIRPAC en Barcelona. En febrero, primer viaje a Argel; en julio segundo viaje, en coche, con Pierre Jeanneret a Argelia.

1932 Manifestación pública en la Sala Wagram, en París, organizada por l'Ecole des Beaux Arts y l'Ecole Polytechnique, para la «rehabilitación» de L-C. Publicación de la obra «Croisade ou le Crépuscule des Académies».
Varias conferencias en la Gran Sala de la Bolsa, en Zurich.

1933 Colaboración en la revista «Préludes». L-C deja la calle Jacob y se instala en la calle Nungesser-et-Coli. Concesión del Doctorado de Honor de la Facultad de Letras II, de la Universidad de Zurich.
Cuarto congreso CIAM en Atenas, a bordo de un barco. Declaraciones de la «Carta de Atenas». Argel: exposición de la «Cité Moderne - Plan Obus». Conferencias en Estocolmo, Oslo, Gotemburgo y Amberes.

1934 Viajes a Argel. Conferencias en Roma, Milán y Barcelona. L-C participa en el simposio de Venecia sobre «Arte y Estado», organizado por el Instituto Internacional de Cooperación intelectual de la Sociedad de Naciones.

1935 L-C va por primera vez a los Estados Unidos invitado por el Museo de Arte Moderno de Nueva York y por Nelson Rockefeller. Gira de conferencias: Nueva York (Universidad de Columbia), Yale, Boston, Chicago, Madison, Filadelfia, Hartford, Collège Bassar, etc. Exposición «Art Primitive» en el estudio de L-C en la calle Nungesser-et-Coli, organizada por Louis Carré. Publicación de la obra «La Ville radieuse» y «Air Craft», Londres. Conferencia tumultuosa en la sala Pleyel, en París.

1936 Segundo viaje a América Latina. Consultas con Niemeyer, Costa y Reidy en Río de Janeiro para la construcción del Ministerio de Educación. En la «Casa de la Cultura» de París: encuentros con Fernand Léger y Louis Aragon sobre la «La Querelle du Réalisme».

1937 Publicación del libro «Quand les cathédrales étaient blanches / Voyage au pays des timides». Quinto congreso CIAM en París y construcción del pabellón de L-C «Le temps nouveaux» en la exposición internacional de arte y técnica. Francia confiere a L-C la orden de la Legión de Honor.

1938 L-C pintor: exposiciones Kunsthaus de Zurich y en casa de Louis Carré en París. Publicación del folleto: «Des canons, des munitions? - Merci!, des logis... s.v.p.!» Durante unas

the Palace of the Soviets. CIRPAC congress in Barcelona. In February, first trip to Algeria; second visit in July, by car, with Pierre Jeanneret.

1932 Public demonstration in the Salon Wagram, in Paris, organised by the École des Beaux Arts and the École Polytechnique, for the «rehabilitation» of LC. Publication of «Croisade ou le Crépuscule des Académies». Various lectures in the Grand Salon of the Stock Exchange in Zurich.

1933 Collaborates on the magazine «Préludes». LC leaves rue Jacob and installs his studio in rue Nungesser-et-Coli. Receives an honorary Doctorate from the Faculty of Letters of the University of Zurich. Fourth CIAM conference, in Athens, held on board a ship. The «Athens Charter» declarations. The «Cité Moderne-Plan Obus» exhibition held in Algiers. Lectures in Stockholm, Oslo, Gotenburg and Antwerp.

1934 Travels in Algeria. Lectures in Rome, Milan and Barcelona. LC takes part in the symposium on «Art and State» in Venice, organised by the International Institute of Intellectual Cooperation of the League of Nations.

1935 LC visits the United States for the first time, at the invitation of Nelson Rockefeller and of the Museum of Modern Art in New York. Lecture tour includes New York (Columbia University), Yale, Boston, Madison, Chicago, Philadelphia, Hartford, Vassar, and so on. «Art primitive» exhibition organised by Louis Carré in LC's studio in rue Nungesser-et-Coli. Publication of the works on «La Ville radieuse» and «Air Craft», London. Tumultuous public lecture in the Salon Pleyel, Paris.

1936 Second trip to Latin America. Consultations with Niemeyer, Costa and Reidy in Rio de Janeiro regarding the construction of the Ministry of Education building. Debates with Fernand Léger and Louis Aragon on «La Querelle du Réalisme» in the Maison de la Culture in Paris.

1937 Publication of the book «Quand les cathédrales étaient blanches/Voyage au pays des timides». Fifth CIAM congress in Paris, and construction of LC's «Les temps nouveaux» pavilion at the international art and technology exhibition. France decorates LC with the order of the Légion d'Honneur.

1938 LC the painter exhibits in the Kunsthaus in Zurich and in Louis Carré's house in Paris. Publication of the pamphlet «Des canons, des munitions? - Merci!, des logis ... s.v.p.!»

vacaciones en Cap Martin, en el mes de agosto, L-C sufre un grave accidente en el mar, provocado por una hélice.

1939 Publicación del libro «Le Lyrisme des Temps Nouveaux et l'Urbanisme». André Wogenscky, colaborador en el estudio de L-C.

1940 París es ocupado el 14 de junio por el ejército alemán. L-C se retira con su mujer y Pierre Jeanneret a los Pirineos. En noviembre Pierre Jeanneret participa en Grenoble en la Resistencia.

1941 Publicación de los libros «Destin de Paris» y «Sur les quatre routes». Estancia en Vichy donde ofrece al gobierno su colaboración para la reconstrucción de Francia. Inauguración de una exposición de gouaches en la galería W. Boesiger en Zurich, en presencia de L-C.

1942 Primeros estudios sobre el «Modulor». Publicación del folleto «Les constructions Murondins» y del libro «La Maison des Hommes» (L-C y François de Pierrefeu). En París, fundación de «L'Ascoral» (Asamblea de constructores para una renovación de la arquitectura), organización hermana de los CIAM.

1943 Publicación de los libros: «Entretiens avec les Estudiants des Ecoles d'Architecture» y «La Charte d'Athènes» con prefacio de Giradoux.

1945 Publicación de los libros «Les trois établissements humains», «Manière de penser l'urbanisme» y «Propos d'urbanisme». Montaje de la exposición la «France d'Outremer» en París. Después de la liberación de París, su estudio de la calle Sèvres es llamado ATBAT (Estudio de Constructores). L-C es nombrado urbanista jefe de la región de La Rochelle-La Pallice. En París se firma un contrato con el Ministerio de la Reconstrucción para edificar una unité d'habitation en Marsella. L-C va a los Estados Unidos en compañía de Claudius Petit, Sive, Emery, Hanning y Bodiansky, para estudiar la arquitectura americana del presente.

1946 L-C va directamente a Nueva York, esta vez como miembro de la Comisión de estudios para la sede de la ONU. Encuentro con Albert Einstein en Princeton.

1947 Exposición en Viena. Se acepta el proyecto 23 A de L-C para el palacio de la ONU en Nueva York. K. Harrison se encarga de la realización. Viaje a Bogotá. Sexto congreso CIAM en Bridgwater. (Presentación de la «Grille CIAM»). En su estudio de la calle Sèvres en París, L-C compone un gran mural. Las primeras esculturas en madera son realizadas con la colaboración del carpintero bretón Joseph Savina.

On holiday at Cap Martin in August, LC suffers a serious accident with a boat propeller.

1939 Publication of the book «Le Lyrisme des Temps Nouveaux et l'Urbanisme». André Wogenscky is employed in LC's studio.

1940 Paris is occupied by the German army on June 14th. LC leaves the city with his wife and Pierre Jeanneret for the Pyrenees. In November Pierre Jeanneret joins the Resistance in Grenoble.

1941 Publication of the books «Destin de Paris» and «Sur les quatre routes». LC resident in Vichy, where he offers his services to the government for the reconstruction of France. Attends the opening of an exhibition of gouaches in the W. Boesiger gallery in Zurich.

1942 First studies for the «Modulor» system. Publication of the pamphlet «Les constructions Murondins» and the book «La Maison des Hommes» (LC and François de Pierrefeu). «L'Ascoral», a group of constructors interested in the renovation of architecture, a sister body to the CIAM, founded in Paris.

1943 Publication of the books «Entretiens avec les Étudiants des Écoles d'Architecture» and «La Charte d'Athènes» with a preface by Giradoux.

1945 Publication of the books «Les trois établissements humains», «Manière de penser l'urbanisme» and «Propos d'une urbanisme». Organisation of the «France de Outremer» exhibition in Paris. Following the liberation of Paris, LC's studio in the rue de Sèvres is named ATBAT (constructor's studio). LC appointed head of urban planning for the La Rochelle-La Pallice region. Contract signed in Paris with the Ministry of Reconstruction to build a unité d'habitation in Marseille. LC travels to the United States together with Claudius Petit, Sive, Emery, Hanning and Bodiansky to study modern American architecture.

1946 LC in New York as member of the Commission working on studies for the UN headquarters. Meeting with Albert Einstein at Princeton.

1947 Exhibition in Vienna. LC's 23 A project for the UN headquarters in New York is accepted, with K. Harrison in charge of construction. Travels to Bogotá. Sixth CIAM congress in Bridgwater (presentation of the «Grille CIAM»). LC at work on a great mural in his rue de Sèvres studio. The first wood carvings produced in collaboration with the Breton carpenter Joseph Savina.

1948   Se terminan los estudios para el «Modulor». Grandes exposiciones en los Estados Unidos organizadas por el Instituto de Arte contemporáneo de Boston. L-C pinta el gran panel mural en el Centro cultural del pabellón suizo de la Ciudad Universitaria de París. Primeros proyectos de tapices.

1949   Séptimo congreso CIAM en Bérgamo.

1950   Publicación de los libros: «Le Modulor I» y «Poésie sur Alger». Primeros estudios de la Capilla de Ronchamp. L-C recibe una delegación de Pendjab (India) que le invita a realizar los planos de la capital de Chandigarh.

1951   L-C es nombrado Consejero de Arquitectura del Gobierno para la edificación de Chandigarh. Construcción del Capitolio. L-C va a la India con Pierre Jeanneret el 18 de febrero. Encargos para la ciudad de Ahmedabad. L-C declina el encargo del palacio de la Unesco en París.

1952   A su vuelta de la India, L-C visita por primera vez Egipto (Gizeh). Se inicia la construcción de la ciudad de Chandigarh. Inauguración de la primera unité d'habitation de Marsella, por el ministro de la Reconstrucción, Claudius Petit. L-C es promovido «commandeur» de la Legión de Honor. El padre Couturier estudia con L-C la construcción de un convento en Eveux. En su propiedad al borde del mar de Cap Martin (sur de Francia) L-C construye su cabaña.

1953   Exposición de pinturas y esculturas en el museo nacional de Arte Moderno de París. Exposición en Londres. Noveno congreso CIAM en Aix-en-Provence. La unité d'habitation de Marsella provoca críticas de una parte de la prensa mundial.

1954   Exposición de obras de L-C en Berna y Como. En la serie «Les Cahiers de la Recherche patiente» el editor Girsberger, de Zurich publica el folleto «Une petite maison».

1955   Consagración de la capilla de Notre-Dame-du-Haut en Ronchamp. Dos nuevas publicaciones: «Le Poème de l'Angle droit», 19 litografías en colores, Ediciones Verbé de París y «Modulor II». Concesión del doctorado honoris causa de l'École Polytechnique de Zurich.

1956   El Instituto de Francia ofrece a L-C una cátedra en la Escuela de Bellas Artes, que rechaza. L-C entrega al primer ministro Nehru, en una solemne ceremonia, el primer edificio acabado del Capitolio: el Palacio de Justicia. Conferencia en Bagdad. Apertura de la exposición de Lyon. Décimo congreso de CIAM

1948   Completion of studies for the «Modulor». Major exhibitions in the United States organised by the Boston Institute of Contemporary Art. LC paints the great wall panel for the Maison Suisse pavilion in the Cité Universitaire in Paris. First tapestry designs.

1949   Seventh CIAM congress in Bergamo.

1950   Publication of the books «Le Modulor I» and «Poésie sur Alger». First studies for the Ronchamp chapel. LC receives a delegation from the Punjab inviting him to plan the new capital city of Chandigarh.

1951   LC is appointed Architectural Adviser to the Government for the building of Chandigarh. Construction of the Capitol. LC travels to India with Pierre Jeanneret on February 18th. Commissions for the city of Ahmedabad. LC turns down the brief for the UNESCO headquarters in Paris.

1952   On his return from India, LC visits Egypt, and the Giza pyramid, for the first time. Work starts on the construction of Chandigarh. The first unité d'habitation in Marseille inaugurated by Minister for Reconstruction, Claudius Petit. LC is made *commandeur* of the Légion d'Honneur. Father Couturier works with LC on studies for a monastery at Eveux. LC builds his cabin by the sea in Cap Martin, in the south of France.

1953   Exhibition of painting and sculpture in the Musée National d'Art Moderne in Paris. Exhibition in London. Ninth CIAM congress in Aix-en-Provence. The unité d'habitation in Marseille criticised in the press in various countries.

1954   Exhibition of work by LC in Berne and Como. The Zurich publisher Girsberger brings out LC's pamphlet «Une petite maison» in the series «Les Cahiers de la Recherche patiente».

1955   Dedication of the Notre-Dame-du-Haut chapel in Ronchamp. Publication of «Le Poème de l'angle droit», 19 colour lithographs, by Editions Verbé, Paris, and «Modulor II». Honorary Doctorate from the École Polytechnique in Zurich.

1956   The Institut de France offers LC a chair in the École des Beaux Arts, which he declines. LC hands over the first completed building of the Capitol, the Supreme Court, to Prime Minister Nehru in a solemn ceremony. Lectures in Baghdad. Opening of the exhibition in Lyon. Tenth CIAM congress in Dubrovnik. Publication of «Les plans de Le

en Dubrovnik. Publicación de «Les plans Le Corbusier de París, 1922-1956» (Editions de Minuit)

1957 En presencia de L-C se inaugura la gran exposición itinerante organizada por W. Boesiger en el Kunsthaus de Zurich. Esta exposición da la vuelta al mundo, durante cuatro años. L-C da al Estado francés toda la documentación fotográfica y las maquetas de esta exposición.
Exposición de tapices en La Chaux-de-Fonds (Suiza).
Muerte de la señora Yvonne Le Corbusier.

1958 Onceavo y último congreso CIAM en Otterlo. L-C examina el terreno en Cambridge (Mass., Estados Unidos) donde debe construir el Centro de artes visuales de la Fundación Carpenter.

1959 Universidad de Cambridge, Gran Bretaña. Medalla al mérito concedida por la reina Isabel y medalla de oro del Instituto Real de Arquitectos británicos, al mismo tiempo que a Henri Moore.

1960 Publicaciones de «L'Atelier de la Recherche patiente» y «Petites confidences» (10 litografías en blanco y negro).
Consagración del convento de la Tourette, el 19 de octubre. La madre de L-C muere en Vevey (Suiza) a la edad de 100 años.

1961 Josep Lluís Sert construye con los planos de L-C el centro de artes visuales de la fundación Carpenter, en Cambridge (Estados Unidos). Varios viajes a Firminy, donde se construyen el Centro de Jóvenes y una unité d'habitation. Termina los cartones de los siete tapices con destino al palacio de Justicia de Chandigarh.

1962 Exposición retrospectiva en el museo nacional de Arte moderno de París.
En Chandigarh se inaugura el Parlamento. Primeros estudios para la «Maison de l'Homme», de Zurich.

1963 Exposición retrospectiva en el palacio Strozzi de Florencia. Encuentro con el arzobispo Lercaro para la edificación de una iglesia en Bolonia (que no tiene éxito). Por decreto de 30 de diciembre de 1963, L-C obtiene la más alta distinción concedida por el Gobierno francés: la orden de gran oficial de la Legión de Honor.

1964 Elaboración de grandes proyectos: el palacio de Congreso de Estrasburgo (Parlamento de Europa). Embajada de Francia en Brasilia, Olivetti en Milán: segundo proyecto de un centro de cálculo electrónico en Rho.

1965 L-C presenta en Venecia los planos de un hospital. Preparación de la publicación «Le

Corbusier de Paris, 1922-1956» by Editions de Minuit.

1957 Inauguration, with LC in attendance, of the major touring exhibition organised by W. Boesiger in the Kunsthaus, Zurich, which travels the world over the next four years. LC presents the French state with all of the photographic material and models from the exhibition. Exhibition of tapestries in La Chaux-de-Fonds, Switzerland. Death of Madame Yvonne Le Corbusier.

1958 Eleventh and last CIAM congress held in Otterlo. LC examines the site in Cambridge, Mass., USA, where he is to build the Visual Arts Center for the Carpenter Foundation.

1959 University of Cambridge, Great Britain. LC receives the Order of Merit from Queen Elizabeth II and the gold medal of the Royal Institute of British Architects, at the same time as Henry Moore.

1960 Publication of «L'Atelier de la Recherche patiente» and «Petites confidences» (10 lithographs in black and white). Dedication of the monastery of La Tourette on October 19th. LC's mother dies in Vevey, Switzerland, at the age of 100.

1961 Josep Lluís Sert constructs the Visual Arts Center for the Carpenter Foundation in Cambridge, Mass., USA, from LC's plans. Various trips to Firminy, where the Youth Centre and unité d'habitation are being built. Completes the cartoons of the seven tapestries for the Palace of Justice in Chandigarh.

1962 Retrospective exhibition in the Musée National d'Art Moderne in Paris. Opening of the Parliament building in Chardigarh. First studies for the «Maison de l'Homme» in Zurich.

1963 Retrospective exhibition in the Palazzo Strozzi in Florence. Meeting with Archbishop Lercaro to discuss building a church in Bologna proves fruitless. Thanks to a decree of December 30th, LC is awarded the highest distinction of the French government, the order of Grand Oficier of the Légion d'Honneur.

1964 Major projects for the Council of Europe's Congress building in Strasbourg, the French Embassy in Brazil, the Olivetti plant in Milan; second project for an electronic calculation centre in Rho.

1965 LC presents his plans for a hospital in Venice. Preparation of «Le voyage d'Orient»

Voyage d'Orient». L-C pasa sus habituales vacaciones de verano en Cap Martin (Sur de Francia) donde después de una crisis cardíaca, bañándose en el mar, muere el 27 de agosto a las 11 de la mañana.

1968 La fundación L-C, instituida por él mismo, empieza en París su actividad oficial.

for publication. LC spends his holidays at Cap Martin in the south of France, as usual, where after suffering a heart attack while bathing in the sea, he dies on August 27th at 11 o'clock in the morning.

1968 The Fondation Le Corbusier, set up by LC himself, officially begins its activities in Paris.

Lista de obras

Las cifras entre paréntesis corresponden a las páginas de este volumen

List of built projects

(Page numbers for the present volume in brackets).

1930	Urbanización de la ciudad de Argel, proyecto A (174)		1930	Urban development scheme for the city of Algiers, project A (174)
	Casa Errazuris, en Chile			Errazuris house in Chile
1931	Palacio de los Soviets en Moscú (59)		1931	Palace of the Soviets in Moscow (59)
	Museo de arte contemporáneo en París (228)			Museum of Contemporary Art in Paris (228)
1932	Inmueble de alquiler Zurichhorn, en Zurich		1932	Zurichhorn apartment building in Zurich
1933	Plan Macià para Barcelona (180)		1933	Macià Plan for Barcelona (180)

1930 Urbanización de la ciudad de Argel, proyecto A (174)
Casa Errazuris, en Chile
1931 Palacio de los Soviets en Moscú (59)
Museo de arte contemporáneo en París (228)
1932 Inmueble de alquiler Zurichhorn, en Zurich
1933 Plan Macià para Barcelona (180)
Urbanización de la Rive Droite de Ginebra (180)
Urbanización de la ciudad de Estocolmo (180)
Urbanización de la Rive Gauche del Escalda en Amberes (181)
Urbanización de la ciudad de Argel, proyecto B
Vivienda «Durand» en Oued-Ouchaia (66)
Casas individuales en Oued-Ouchaia (67)
Casa de alquiler en Argel
Edificio de la Rentenanstalt en Zurich (64)
1934 Urbanización de la ciudad de Nemours, Argelia (181)
Reorganización agraria, «ferme radieuse»
Inmueble obrero en Zurich
Inmueble para la explanada de los Inválidos en París
Urbanización de la ciudad de Argel, proyecto C
1935 Planes de urbanización para Nueva York (182)
Urbanización Hellocourt
Plan regulador del valle de Zlin (Fábrica Bata)
Casa de alquiler, en la calle Fabert, París
Unité du Bastion Kellerman, en París
Inmueble en Nemours, Argelia
Piscinas con olas, Argel
Chalet cerca de Chicago
El Museo de la Ciudad y el Estado, en París
1936 Ciudad universitaria en Río de Janeiro (179)
Planes de París (172)
Stadium: plan para un centro nacional de recreo popular capaz para 100 000 participantes (76)
1937 Monumento a la memoria de Vaillant-Couturier en Villejuif (78)
Casa de fin de semana Jaoul
El pabellón Bata para la Exposición Internacional de 1937
Pabellón de exposición para Liège
1938 Rascacielos para el Barrio de la Marina en Argel (176)
Ciudad de negocios en Argel
El rascacielos cartesiano (187)
Ordenación del Pont Saint-Cloud, Boulogne-sur-Seine

1930 Urban development scheme for the city of Algiers, project A (174)
Errazuris house in Chile
1931 Palace of the Soviets in Moscow (59)
Museum of Contemporary Art in Paris (228)
1932 Zurichhorn apartment building in Zurich
1933 Macià Plan for Barcelona (180)
Urban development scheme for the Rive Droite in Geneva (180)
Urban development scheme for the city of Stockholm (180)
Urban development scheme for the left bank of the Scheldt in Antwert (181)
Urban development scheme for the city of Algiers, project B
«Durand» residential development in Oued-Ouchaia (66)
Private houses in Oued-Ouchaia (67)
Apartment building in Algiers
Rentenanstalt building in Zurich (64)
1934 Urban development scheme for Nemours, Algeria (181)
«Radiating farm» agricultural reorganisation scheme
Workers' housing in Zurich
Residential building on the Esplanade des Invalides in Paris
Urban development scheme for the city of Algiers, project C
1935 Urban development plans for New York (182)
Hellocourt urban development
Plan for the Zlin valley (Bata factory)
Apartment building in rue Fabert, Paris
Unité du Bastion Kellerman in Paris
Housing in Nemours, Algeria
Swimming pools with artificial wave machines, Algeria
Private house near Chicago
Musée de la Cité et l'État in Paris
1936 University campus for Rio de Janeiro (179)
Plans for Paris (172)
Stadium: project for a national recreation centre with capacity for 100,000 spectators (76)
1937 Monument to the memory of Vaillant-Couturier in Villejuif (78)
Jaoul weekend house
Bata pavilion for the 1937 International Exhibition
Exhibition pavilion for Liège
1938 Skyscraper for the La Marine district in Algiers (176)
Business district for Algiers
Cartesian skyscraper (187)
Design scheme for Pont Saint-Cloud, Boulogne-sur-Seine

Lista de fotógrafos
List of photographers

Maurice Babey, Basilea
Willy Boesiger, Zurich
René Barri, Zurich
Chevojou, París
Thomas Cugini, Zurich
Robert Doisneau, Montrouge-Seine
Jürg Gasser, Zurich
Robert Gnant, Zurich
Lucien Hervé, París
Hubmann, Viena
Kokusai-Kentiku, Tokio
Malhotra, Chandigarh
Mazo, París
Bernhard Moosbrugger, Zurich
Albin Salaün, París
Scientific Photographers, Ahmedabad
Suresh Sharma, Chandigarh
Peter Trüb, Zurich
Weeber, Sillenbach
Robert Winkler, Munich-Stuttgart